기초부터 탄탄하게

코스페이시스로
떠나는 메타버스 여행

김승연 신정현 양현주 공저

CONTENTS

chapter 1

코스페이시스 사용하기

학습 목표
- 코스페이시스 알아보기
- 코스페이시스 PRO체험판 사용하기

코스페이시스 사용하기

무엇을 배울까요?

코스페이시스 프로그램에 대해 알아봅니다.
선생님으로 회원가입하는 방법을 알아보고, 학급을 만들어 봅니다.
체험판 코드를 입력하여 코스페이시스 에듀 프로 체험판을 만나봅니다.
학급코드로 학생이 가입하는 방법을 알아봅니다.

코스페이시스 소개

01 코스페이시스는 누구나 쉽게 3D 가상현실(VR)과 증강현실(AR) 컨텐츠를 만들고 체험할 수 있는 플랫폼입니다. 독일 Delightex 사에서 개발되었으며, 교육, 엔터테인먼트, 비즈니스 등 다양한 분야에서 활용되고 있습니다.

02 코스페이시스의 장점
① 간편한 인터페이스 : 코딩 경험 없이도 쉽게 사용할 수 있습니다.
② 다양한 기능 : 3D 모델링, 애니메이션, 코딩, 멀티플레이어 등 다양한 기능을 제공합니다.
③ 풍부한 컨텐츠 : 3D 모델, 배경 음악, 텍스처 등 다양한 컨텐츠를 무료로 활용 할 수 있습니다.
④ 다양한 플랫폼 지원 : PC, 태블릿, 스마트폰 등 다양한 기기에서 이용 가능합니다.

03 코스페이시스는 컴퓨터에 프로그램을 설치할 필요 없이 웹사이트에 접속해서 작품을 제작하고 감상할 수 있습니다. 웹 브라우저는 구글 크롬을 사용합니다.
구글 크롬을 실행한 후 [코스페이시스] 라고 검색합니다.
첫 번째 [CoSpaces Edu for kid-friendly 3D creation and coding]을 클릭해서 접속합니다.

코스페이시스 회원가입 - 선생님

01 회원가입은 웹사이트 오른쪽 상단에 Register(등록) 버튼을 클릭합니다.

02 [선생님] 버튼을 클릭합니다.

03 [만 18세 이상입니다] 버튼을 클릭하면 약관이 나옵니다.
약관을 읽어보고 [동의합니다] 버튼을 클릭합니다.

04 ① 코스페이시스는 구글, 마이크로소프트 등의 사용자 계정으로 가입할 수 있습니다.
② 사용자 계정이 없다면 코스페이시스 계정을 만들 수 있습니다.
　이름, 아이디, 비밀번호를 입력합니다.
　비밀번호는 8글자 이상으로 문자와 숫자 모두 포함합니다.
③ E-mail로 Confirm 메일을 보내주므로 정확하게 입력합니다.
④ [계정 만들기] 버튼을 클릭합니다.

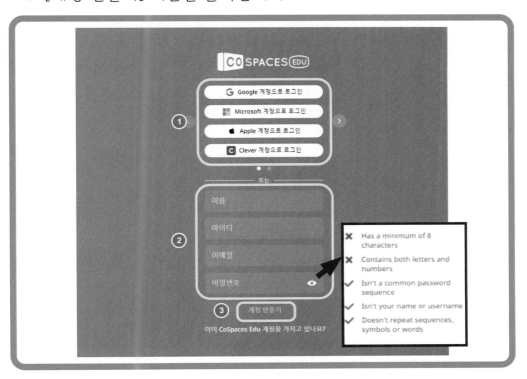

05 뉴스 구독은 선택 가능합니다. [계속하기] 버튼을 클릭합니다.
E-mail 주소로 confirm 메일이 보내집니다.

06 E-mail를 열어 confirm 메일을 확인합니다.
받은 메일이 없다면 스팸 메일도 확인합니다.

07 가입이 완료되었습니다. Continue 버튼을 클릭합니다.
CoSpaces Edu 앱 열기는 X 버튼을 클릭하여 닫아줍니다.

08 코스페이시스 로그인 화면이 보여집니다.
무료용은 오브젝트 사용에 제한이 있기 때문에 30일 동안 사용이 가능한
체험판을 이용하는 것을 추천합니다. 사용 기간이 끝나면 유료버전을 이용
하시면 됩니다. 왼쪽 하단의 화살표 모양을 클릭하여 [30일 체험판 활성화
하기] 버튼을 클릭합니다.

09 체험판 코드는 코스페이시스 웹사이트 상단 메뉴의 [Ambassadors]-[태극기]를 클릭하면 여러명의 엠버서더가 나옵니다. 그중 한 명의 트위터에 들어가면 코스페이시스 체험판 코드가 있습니다.
체험판 코드를 입력하고 [체험판 활성화하기] 버튼을 클릭합니다.

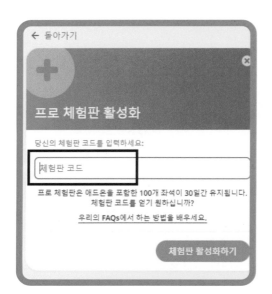

10 이제 학급을 만들어 봅니다.
[학급 만들기]-[학급 이름 입력]-[지금 만들기] 합니다.

11 학급이 만들어졌습니다. 학급코드 5자리를 학생들에게 알려주면 학급코드로 가입이 가능합니다.

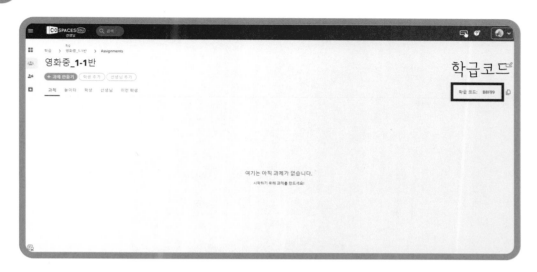

코스페이시스 회원가입_학생

01 회원가입은 웹사이트 오른쪽 상단에 Register(등록) 버튼을 클릭합니다.

02 [학생] 버튼을 클릭합니다.

03 선생님이 알려주신 학급코드 5자리를 입력합니다.
키보드 설정이 한글일 경우에는 알파벳이 입력되지 않으니, 키보드의 [한/영]
키를 눌러 영어로 바꿔줍니다.
학급코드를 입력한 후 [계속하기] 버튼을 클릭합니다.

04
① 코스페이시스는 구글, 마이크로소프트등의 사용자계정으로 가입할 수 있습니다.
② 사용자계정이 없다면 코스페이시스 계정을 만들 수 있습니다.
이름, 아이디, 비밀번호를 입력합니다.
비밀번호는 8글자 이상으로 문자와 숫자 모두 포함합니다.
③ [계정 만들기] 버튼을 클릭합니다.

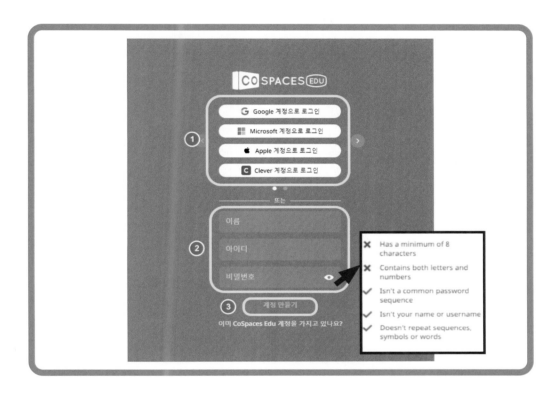

05
가입이 완료되어 [내 학급]이 보여집니다.
오른쪽 상단의 프로필 아이콘을 클릭합니다. 내 이름과 아이디 확인이 가능합니다. 이제 코스페이시스를 사용할 준비가 완료되었습니다.

chapter 2

동물원 나들이

학습 목표
- 기본 조작 방법
- 오브젝트 크기 변경 및 이동

chapter 2

동물원 나들이

코스페이시스의 화면 구성과 기본 조작 방법을 알아봅시다.
오브젝트의 크기 변경 및 이동방법을 알아봅시다.

코스페이시스 빈 화면 열기

01 왼쪽 메뉴에서 코스페이시스를 클릭하고 코스페이스 만들기를 클릭합니다.

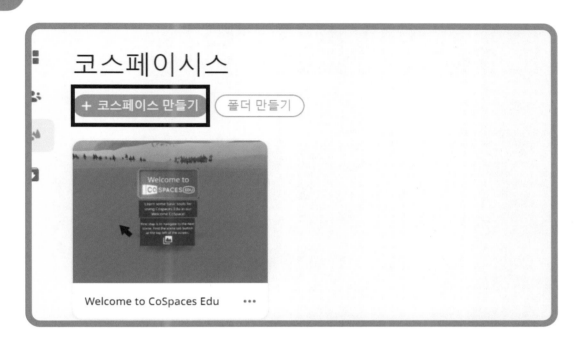

02 코스페이시스의 장면 선택에서 첫 번째 Empty scene을 클릭합니다.

코스페이시스 화면 구성

01 장면 목록 – 장면 추가가 가능하고 장면의 이름을 변경할 수 있습니다. 또한 삼선을 클릭하면 추가한 오브젝트의 목록을 볼 수 있습니다.

02 자석 기능 – 아이템 붙이기를 체크하면 바로 아이템에 붙일 수 있고, 격자 맞추기를 통하여 격자 간격을 조절합니다.

03 도움말, 공유 기능 – 아이콘을 클릭하면 도움말을 볼 수 있고, 다른 사람에게 내 작품을 공유할 수 있습니다.

04 처음으로 아이콘은 코스페이시스 메인 화면으로 이동합니다.
취소하기는 방금 작업을 취소할 수 있고, 다시 하기는 취소한 작업을 복구
할 수 있습니다.

05 코드 및 플레이 - 코드 아이콘을 클릭하면 코딩할 수 있는 공간으로 이동합니다.
플레이 아이콘을 클릭하면 화면에 적용된 모든 기능이 구현되어 보여집니다.

06 카메라 - 플레이를 했을 때, 카메라가 보고 있는 방향의 화면을 봅니다. 카메
라를 삭제할 시 전체 화면으로 플레이 됩니다.

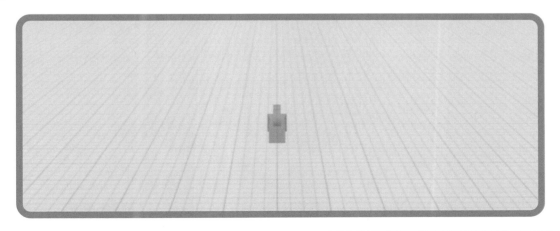

07 라이브러리 - 기본으로 제공되는 캐릭터 및 다양한 동물, 사물, 특수 오브젝트 등을 사용할 수 있습니다. 드래그&드랍으로 추가 할 수 있습니다.

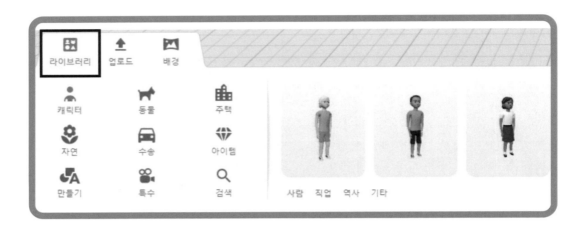

08 업로드 - 이미지, 3D모델, 비디오, 소리 등을 업로드 할 수 있습니다.

09 배경 - 원하는 배경으로 수정 가능하며 Effects, 필터, 바닥이미지, 배경 음악을 추가할 수 있습니다.

2. 동물원 나들이

코스페이시스 화면 제어

01 화면 확대 및 축소 – 마우스 휠을 밀거나 당기면 화면이 확대 또는 축소됩니다.

02 화면 회전 – 마우스 왼쪽 버튼으로 장면을 클릭한 상태에서 장면을 상하좌우 방향으로 드래그하면 드래그한 방향으로 화면이 회전합니다.

03 화면 이동 – 키보드의 space키를 누른 상태로 마우스 왼쪽 버튼으로 화면을 클릭한 상태에서 화면을 상하좌우로 드래그하면 드래그한 방향으로 이동합니다.

기본 조작 방법

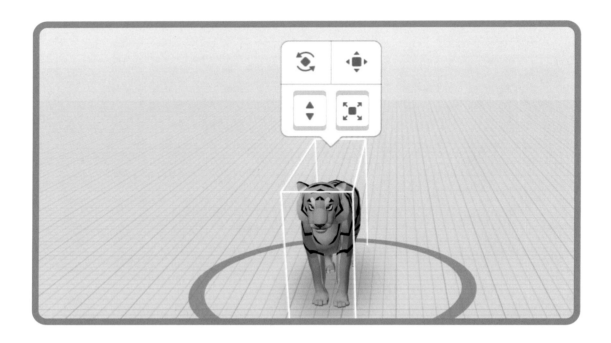

라이브러리에서 호랑이 오브젝트를 화면에 드래그&드랍으로 추가하고 마우스의 왼쪽 버튼을 클릭하면 오브젝트를 회전, 이동, 높이, 크기 조절 모드가 나옵니다. 각 기능에 대해서 알아봅시다.

01 회전 - 마우스로 회전하고자 하는 방향을 클릭하여 회전 시킬 수 있습니다.

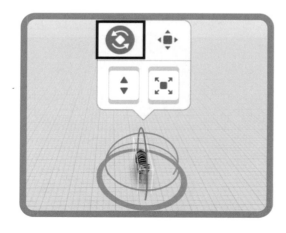

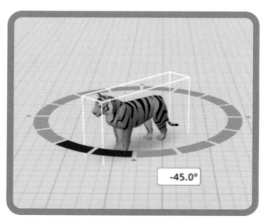

02 이동 – 클릭 후 원하는 방향으로 오브젝트를 이동 시킬 수 있습니다.

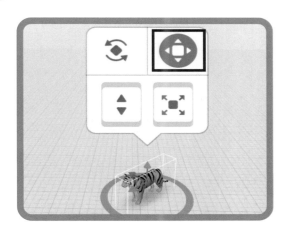 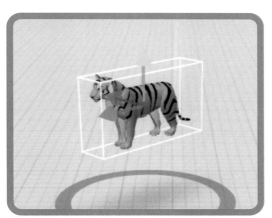

03 상하 위치 조정 – 클릭한 상태에서 위 또는 아래로 드래그하여 상하 위치를 조절할 수 있습니다.

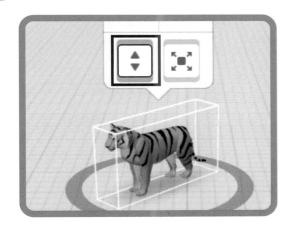 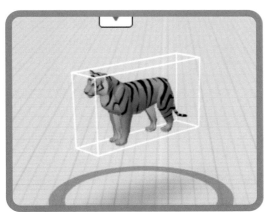

04 크기 조절 – 클릭한 상태에서 드래그하여 크기를 조절 할 수 있습니다.

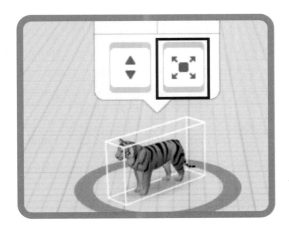 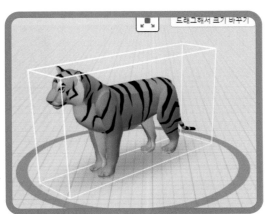

동물원 나들이 꾸미기

라이브러리에서 다양한 오브젝트를 가져와서 나만의 멋진 동물원을 꾸며
봅시다.

01 배경에서 동물원에 어울리는 배경을 선택합니다.

02 라이브러리 동물에서 동물원에서 보고 싶은 동물을 드래그&드랍으로 추가한 후 크기 변경 및 이동하여 화면에 배치합니다.

03 오브젝트 우클릭 후 대화를 클릭하여 말하기에 내용을 입력하면 오브젝트가 말풍선 형태로 말하게 할 수 있습니다.

04 라이브러리의 자연에서 다양한 오브젝트를 가져와 동물원에 어울리게 꾸밉니다.

chapter 3

아바타 댄스배틀

학습 목표
- 오브젝트 재질 및 애니메이션
- 붙이기 및 그룹 만들기

chapter 3

아바타 댄스배틀

무엇을 배울까요?

오브젝트의 재질 변경으로 색상과 패턴을 바꿔봅시다.
오브젝트의 애니메이션 기능으로 움직여 봅시다.
오브젝트와 다른 오브젝트를 붙이기 기능을 사용하여 꾸며봅시다.
여러 오브젝트를 그룹화하여 하나의 블럭으로 만들어 봅시다.

아바타 만들기

01 먼저 자신의 아바타를 만듭니다.
장면 선택에서 첫번째 Empty scene을 클릭합니다.

02 카메라를 Del키로 삭제하고, 라이브러리-캐릭터를 클릭하여 내 아바타로 할 캐릭터를 골라 화면에 드래그&드랍합니다.

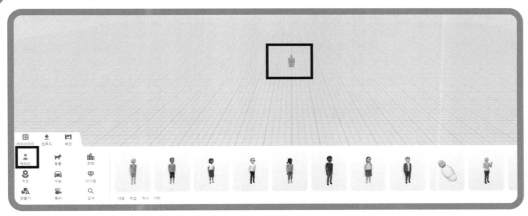

03 캐릭터에 마우스를 올리고 우클릭합니다.
재질을 선택하여 캐릭터의 머리, 피부, 눈동자와 옷 색상을 변경합니다.

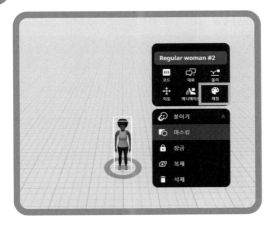
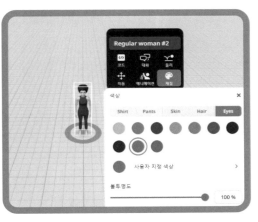

04 캐릭터의 개성을 살려 악세사리를 골라봅니다.
라이브러리-아이템에는 여러가지 모자, 안경, 가방 등 악세사리가 있습니다.
왕관을 선택하여 씌우겠습니다.

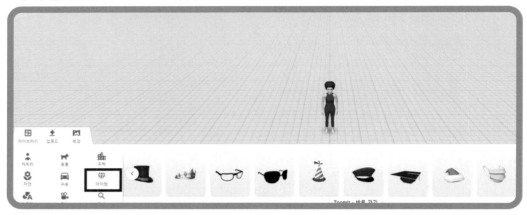

05 왕관을 드래그&드랍합니다. 왕관 위에 마우스를 올리고 우클릭합니다.
붙이기 기능을 클릭하고, 머리위에 하늘색 점을 클릭하면 붙이기가 됩니다.

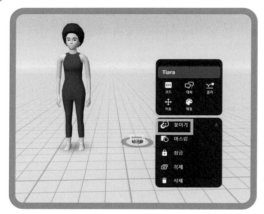 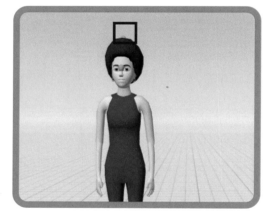

06 아바타가 완성되었습니다. 우클릭하여, 속성 첫 번째 칸에 오브젝트의 닉네임
을 만들어 넣어줍니다.

아바타 댄스배틀

01 먼저 댄스 배틀 할 배경을 선택합니다. 하단 배경에서 첫 번째 수정을 클릭하여 우주 또는 원하는 배경을 선택합니다.

02 캐릭터에 마우스를 올리고 우클릭합니다.
애니메이션-Actions 선택하고, Dance 종류 중 한 가지를 선택합니다.

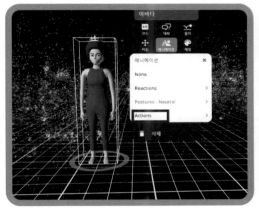
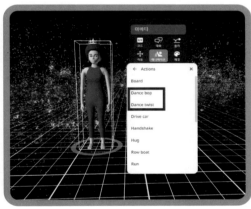

03 우측 상단에 플레이 버튼을 클릭하여, 댄스동작을 확인하고 좌측 상단에 화살표를 클릭하여 되돌아옵니다.

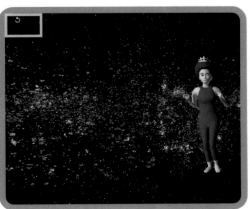

04 댄스 배틀을 위한 무대를 만듭니다.
라이브러리-만들기에 원형 평면을 드래그&드랍합니다.

05 원형 평면을 좌클릭하여, 넓이를 크게 만들어 줍니다. 이번엔 우클릭하여 재질
에 색상을 바꿔줍니다.

06 그룹 댄스를 위해 캐릭터를 복사합니다.
첫 번째 방법, Alt키를 누르면서 동시에 마우스로 아바타를 이동합니다.
두 번째 방법, 아바타 위에서 우클릭하여 속성에서 복제를 클릭합니다.

07 각 아바타의 재질 및 아이템을 변경하여 개성을 살려줍니다. 색상에서 사용자 지정 색상을 클릭하면 더 다양한 색상을 연출 할 수 있습니다.

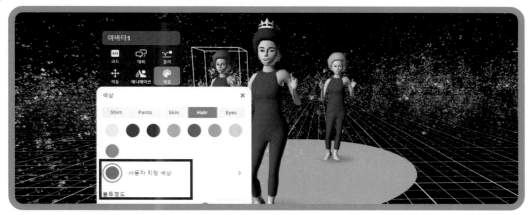

08 첫 번째 팀이 완성되었습니다. 각 오브젝트를 Shift를 누르면서 클릭하여 선택하고, 우클릭하여 그룹 만들기를 해줍니다. 그룹핑되면 이동 및 크기 조절 등을 한 번에 변경 할 수 있습니다.

09 상대 댄스팀을 만듭니다. 상대팀 무대를 만듭니다.
하단 라이브러리-만들기에서 원형 평면을 꺼내 확대 해 줍니다.

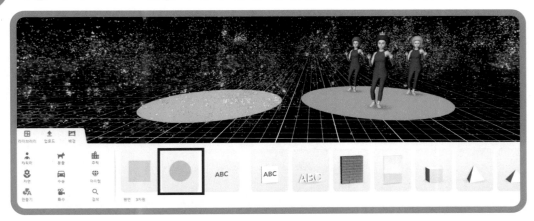

10 상대팀 캐릭터를 만듭니다.
라이브러리-캐릭터에서 원하는 오브젝트를 드래그&드랍합니다.

11 속성을 클릭하여 재질에서 캐릭터의 색상을 바꿔줍니다. 속성 첫 번째 칸에 오브젝트의 닉네임을 만들어 넣어줍니다.

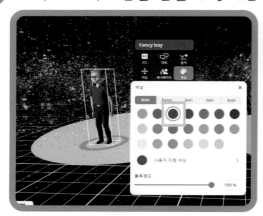 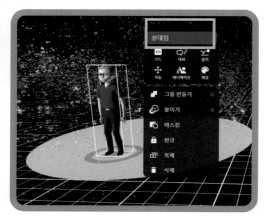

12 캐릭터의 개성을 살려 악세사리를 골라봅니다.
라이브러리-아이템에는 여러가지 모자, 안경, 가방 등 악세사리가 있습니다.
선글라스와 경찰모를 선택하여 씌우기 위해 드래그&드랍합니다.

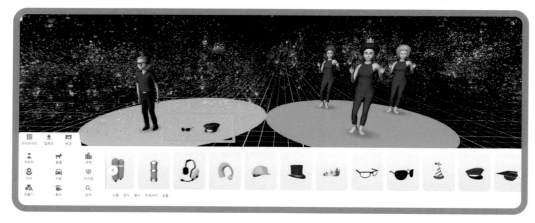

13 선글라스 위에 마우스를 올리고 우클릭합니다.
붙이기 기능을 클릭하고, 원하는 곳의 하늘색 점을 클릭하면 붙이기가 됩니다.
경찰모도 같은 방법으로 붙이기 합니다.

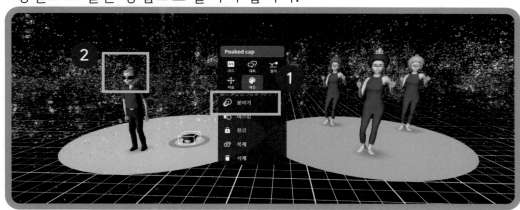

14 캐릭터에 마우스를 올리고 우클릭합니다.
애니메이션-Actions 선택하고, Dance 종류 중 한 가지를 선택합니다.
아이의 댄스 동작과 어른의 댄스 동작이 서로 다릅니다.

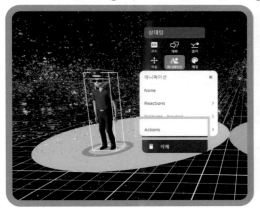 

15 그룹 댄스를 위해 캐릭터를 복사합니다.
첫 번째 방법, Alt키를 누르면서 동시에 마우스로 아바타 이동합니다.
두 번째 방법, 아바타 위에서 우클릭하여 속성에서 복제를 클릭합니다.

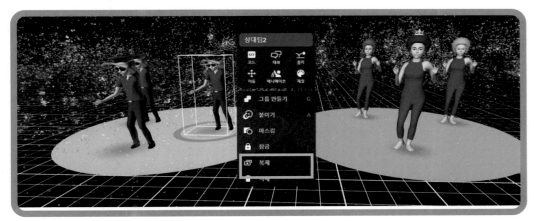

16 각 아바타의 재질 및 아이템을 변경하여 개성을 살려줍니다. 색상에서 사용자 지정 색상을 클릭하면 더 다양한 색상을 연출할 수 있습니다.

17 상대 팀이 완성되었습니다. 각 오브젝트를 Shift를 누르면서 클릭하고, 오브젝트 위에서 우클릭하여 그룹 만들기를 해줍니다. 그룹핑되면 이동 및 크기조절 등을 한 번에 변경 할 수 있습니다.

3. 아바타 댄스배틀

완성 작품 보기

댄스 배틀이 완성되었습니다. 플레이 버튼을 클릭하여 완성본을 확인해 봅니다.
플레이 버튼을 클릭하여 게임을 즐겨보세요. 코딩이 잘 구현되는지도 확인해 봅니다.

chapter 4

자전거 타고 동네 한 바퀴

학습 목표
- 경로 아이템
- 코블록스 알아보기

chapter 4

자전거 타고 동네 한 바퀴

무엇을 배울까요?

배경을 만들고 오브젝트를 가져옵니다.
오브젝트의 재질, 붙이기, 애니메이션을 적용해서 변경해 봅시다.
경로 아이템으로 자전거 경로를 만들어 줍니다.
코블록스 블록코딩으로 자전거를 타고 움직이는 코딩을 만들어 봅시다.

배경 만들기

01 화면 하단의 [배경] 아이콘을 클릭하여 배경을 수정합니다.
[배경]-[수정]-[배경 선택] 원하는 배경을 선택합니다.

01 화면 하단의 [라이브러리] 아이콘을 클릭하여 오브젝트를 가져 올 수 있습니다.
※ 캐릭터에서 아기를 기준으로 왼쪽은 아동, 오른쪽은 성인입니다.

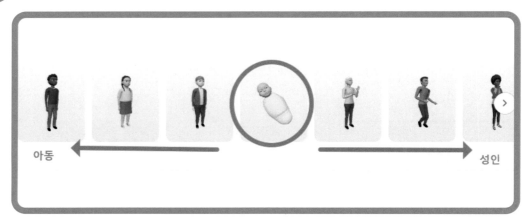

02 [라이브러리]-[캐릭터]에서 두 사람의 캐릭터를 가져옵니다.

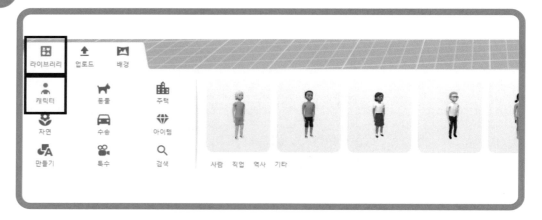

03 [라이브러리]-[수송]에서 자전거 두 대를 가져옵니다.

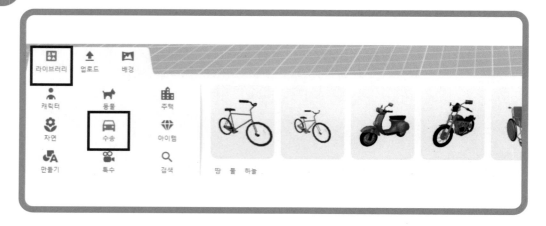

04 [라이브러리]-[아이템]-[악세사리]에서 헬멧 두 개를 가져옵니다.

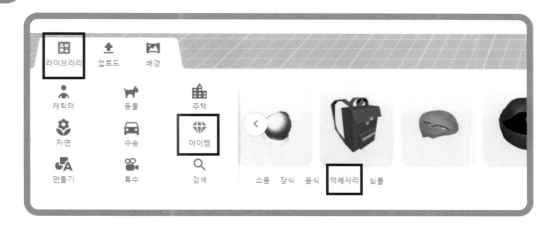

속성 적용하기

01
<속성-재질>
헬멧을 원하는 색상으로 변경합니다.
오브젝트를 [마우스 더블클릭]-[검은 메뉴창]-[재질]을 선택합니다.
원하는 색상으로 변경합니다.

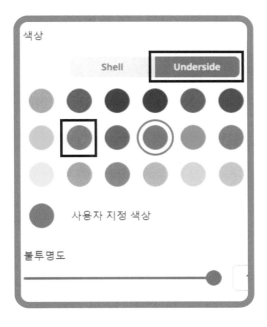

02

<속성-붙이기>
오브젝트에서 [마우스 더블클릭]-[검은 메뉴창]-[붙이기]를 선택합니다.
하늘색 점이 나오면 붙이고자 하는 곳의 점을 클릭합니다.
머리에 헬멧을 붙이기 합니다.

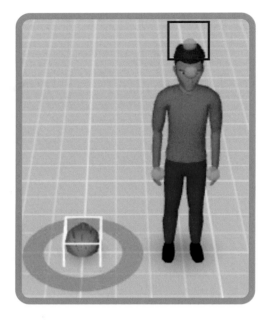

03

<속성-애니메이션>
사람을 자전거에 태우려면 자세를 변경해야 합니다.
오브젝트를 [마우스 더블클릭]-[검은 메뉴창]-[애니메이션]을 선택합니다.
[Postures]-[Ride bike]를 선택합니다.

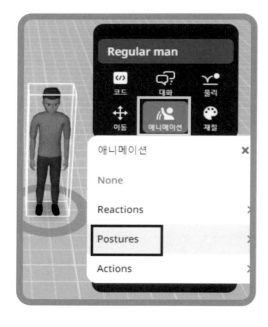
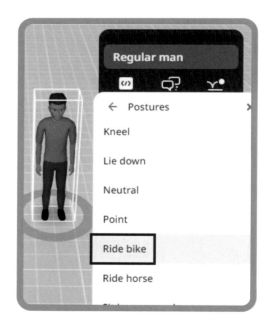

4. 자전거 타고 동네 한 바퀴

04 <속성-붙이기>
오브젝트에서 [마우스 더블클릭]-[붙이기]-[자전거 안장에 붙이기]를 합니다.

 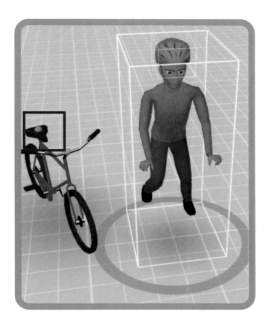

05 다른 캐릭터도 같은 방법으로 속성을 변경합니다.

자전거 경로 만들기

01 [라이브러리]-[특수]-[경로 아이템]을 선택해서 가져오기 합니다.
※ 경로 아이템은 원형 모양, 사각 모양, 직선 모양 세 가지가 있습니다.

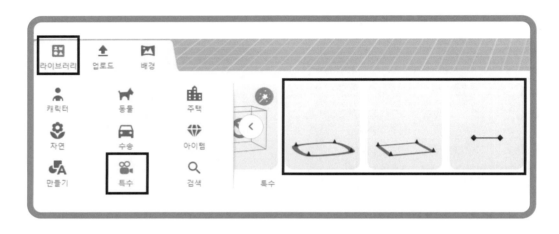

02 원형 모양의 경로를 가져와서 크기를 변경합니다.
경로 아이템도 오브젝트와 같이 회전 모드, 크기 변경, 이동이 가능합니다.
경로 포인터(파란색 점)를 클릭하여 드래그&드랍으로 원하는 경로 모양을 만들어 줍니다.

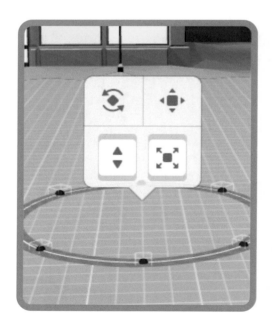
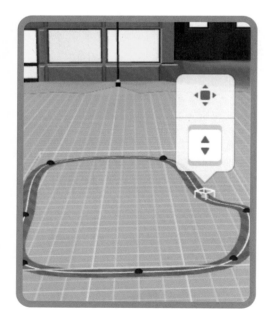

03 다양한 모양의 경로를 만들기 위해 경로 포인터를 추가할 수 있습니다.
경로를 선택 후 [마우스 더블클릭]-[검은 메뉴창]-[경로 수정]을 선택합니다.
원하는 지점에 마우스를 올린 후 클릭해 줍니다. 하늘색 점이 파란색으로 변경
됩니다.

 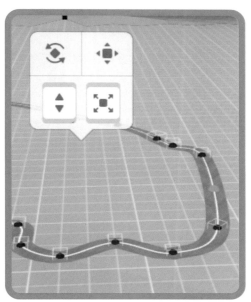

04 경로를 [마우스 더블클릭]-[검은 메뉴창]-[경로]을 선택합니다.
　① 플레이모드에서 보기
　　　- 활성화하면 [플레이] 화면에서 경로를 보이게 할 수 있습니다.
　　　- 비활성화 상태에서는 경로가 보이지 않습니다.
　② 너비 조절 가능
　③ Curved : 곡선, Straight : 직선
　④ Flip direction : 경로에서 화살표 방향이 이동 방향입니다.

05 자전거에서 [마우스 더블클릭]-[검은 메뉴창]-[붙이기]를 선택합니다.
경로 위의 한 점에 붙이기 합니다. 다른 캐릭터도 경로 위 다른 점에 붙이기 합니다.

06 오른쪽 상단 [코드]-[코블록스]를 선택합니다.

4. 자전거 타고 동네 한 바퀴

코블록스 화면 구성 살펴보기

01
① 스크립트 이름 : 이름 변경 , 이미지로 저장, 삭제가능
② 스크립트 추가 : 코블록스 추가 할 수 있습니다.
   코딩할 내용이 많아지는 경우에는 병렬탭을 추가하여 관리하는 것이 좋습니다.
③ 검색창 : 블록에 있는 글자를 입력하여 블록을 쉽게 찾을 수 있습니다.
④ 블록 카테고리 : 주제별로 모아 두어 사용하기 편리합니다
⑤ 스크립트 영역 : 블록을 쌓아 코딩을 하는 작업 공간입니다.
⑥ [설정]은 초급자용 코블록스와 고급자용 코블록스가 있습니다.
   고급자용 코블록스는 더 많은 블록을 사용할 수 있어 [고급자용 코블록스]로
   설정합니다.

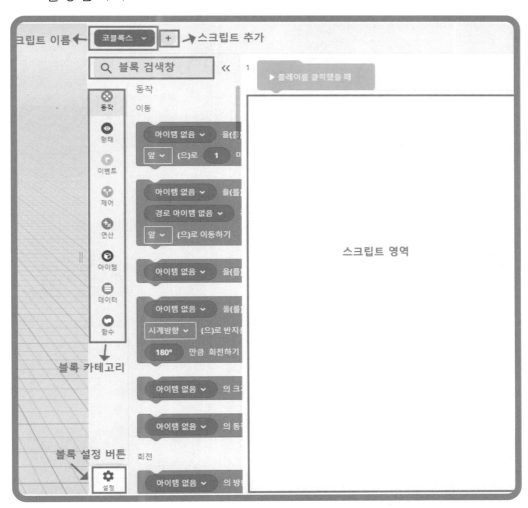

자전거 타고 동네 한 바퀴 코딩하기

01 경로를 따라서 자전거가 움직일 수 있도록 코블록스 블록코딩으로 만들어 보려고 합니다. 코딩에서 사용하기 위해서는 [코블록스에서 사용]을 활성화 해야 합니다.
자전거 오브젝트에서 [마우스 더블클릭]-[코드]-[코블록스에서 사용]을 활성화합니다.

02 자전거를 타고 경로를 따라서 움직이는 코딩을 만들어 봅니다.
[제어]에서 [무한 반복하기] 블록을 [플레이를 클릭했을 때] 블록 아래로 가져옵니다.

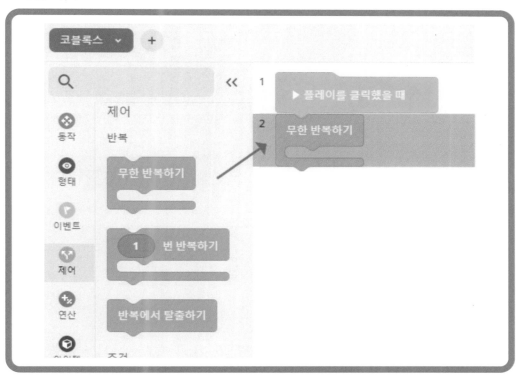

03 [동작]에서 [Bicycle을 5초동안 Round path 경로를 따라 앞으로 이동하기] 블록을 [무한 반복하기] 블록 안으로 가져옵니다.

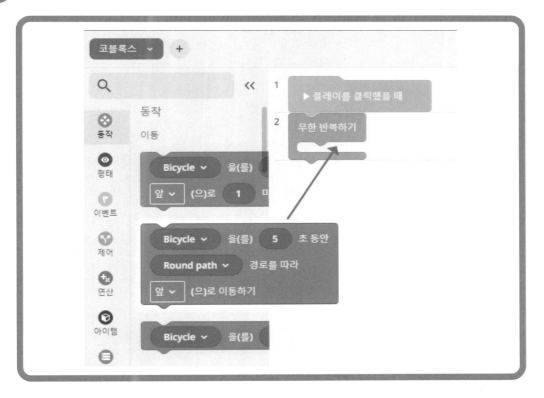

04 초의 숫자가 작으면 빨리 움직이고, 숫자가 크면 천천히 움직입니다.
원하는 숫자로 변경합니다. 천천히 움직일 수 있도록 20초로 변경합니다.

05 두 캐릭터가 동시에 움직일 수 있도록 [동시에 실행하기] 블록을 사용합니다.
코블록스 추가로 병렬 코딩해도 동시에 실행하기와 같은 결과를 얻습니다.
이번에는 [동시에 실행하기] 블록을 사용합니다.
[제어]-[동시에 실행하기] 블록을 [무한 반복하기] 블록 안으로 가져옵니다.

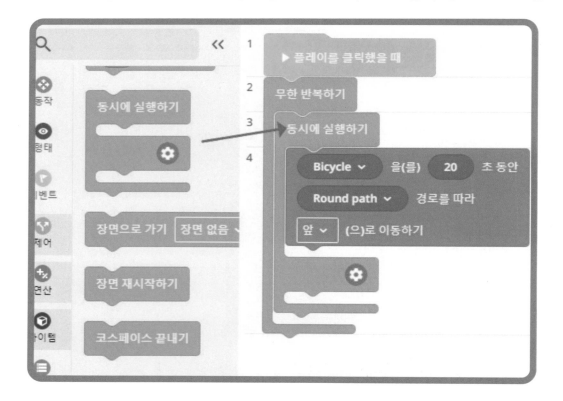

06 [동작]에서 [Small Bicycle]을 5초동안 Round path 경로를 따라 앞으로 이동하기] 블록을 [동시에 실행하기] 블록 안으로 가져옵니다.

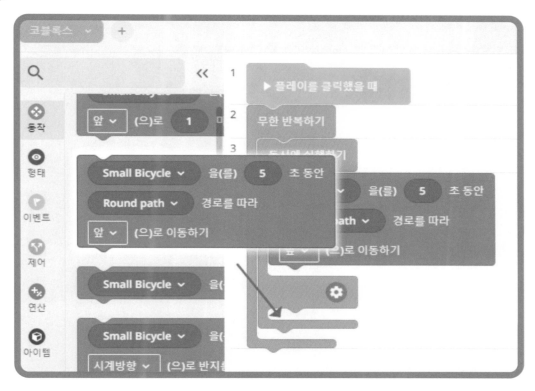

보드 타는 아이 만들기

01 직선 모양 경로를 추가하여 보드 타는 아이를 만들어 봅니다.

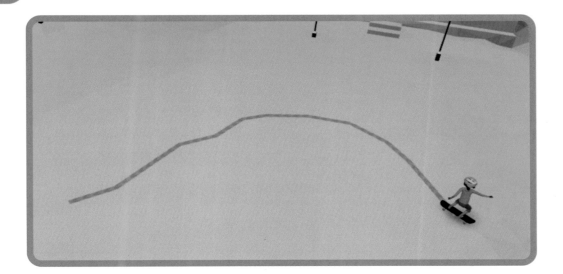

자전거 타고 동네 한 바퀴 완성코드

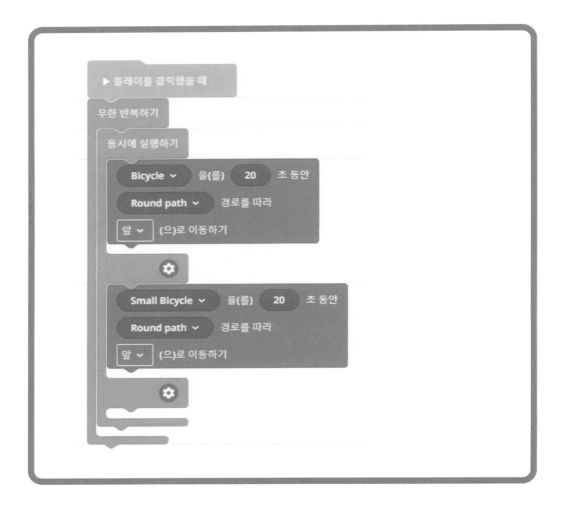

보드 타기 완성코드

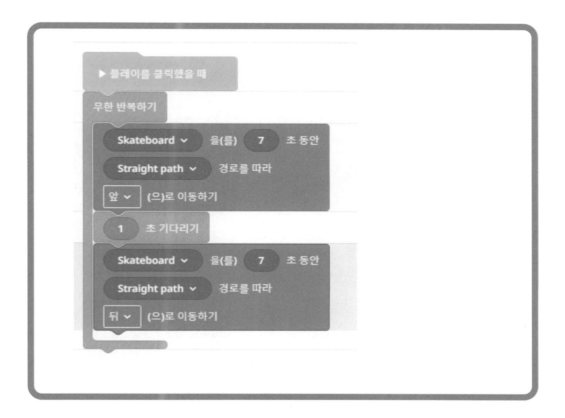

자전거 타고 동네 한 바퀴가 완성되었습니다. 플레이 버튼을 클릭하여 완성본을 확인합니다. 코딩이 잘 구현되는지도 확인해 보세요.

chapter 5

바닷속 레이싱

학습 목표
- 코블록스 랜덤 사용하기
- 조건 블록 사용하기

chapter 5

바닷속 레이싱

무엇을 배울까요?

코블록스의 랜덤 블록을 사용하여 각각 다른 빠르기로 움직이는 오브젝트를 만들어 봅시다.
조건 블록을 사용하여 조건을 만족할 때 실행하는 코딩을 구현해 봅시다.
플레이 할 때마다 우승자가 달라지는 레이싱 프로그램을 만들어 봅시다.

바닷속 배경 꾸미기

배경에서 바닷속 배경을 가져오고 라이브러리 자연에서 오브젝트를 가져와
바닷속 풍경을 꾸며봅시다.

01 배경 메뉴에서 수정 버튼 클릭 후 바닷속 배경을 선택합니다.

02 Effects에서 물방울 효과를 선택합니다.

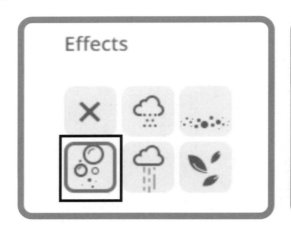 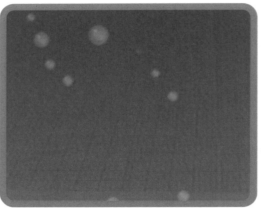

03 라이브러리 자연에서 바닷속 풍경에 어울리는 오브젝트를 가져와서 장면을 꾸밉니다.

04 라이브러리 특수에서 불꽃 오브젝트를 가져와서 장면을 꾸밉니다.

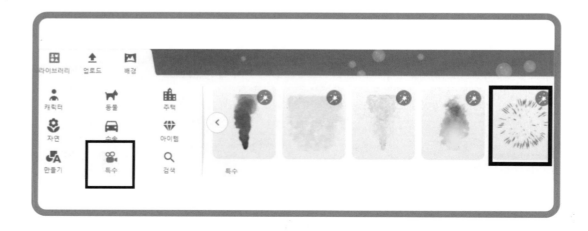

출발선과 결승선 만들기

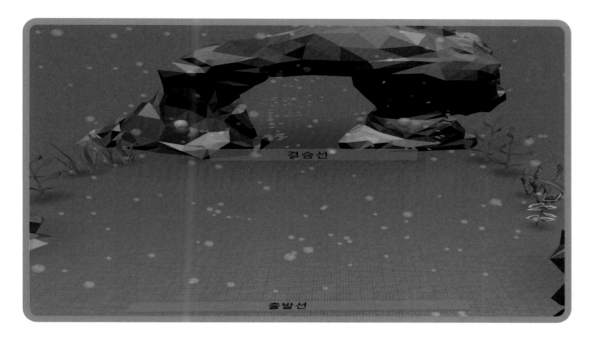

레이싱의 출발선과 결승선을 만들어 봅시다.

01 라이브러리 메뉴에서 만들기 평면을 드래그&드랍으로 장면에 가져옵니다.

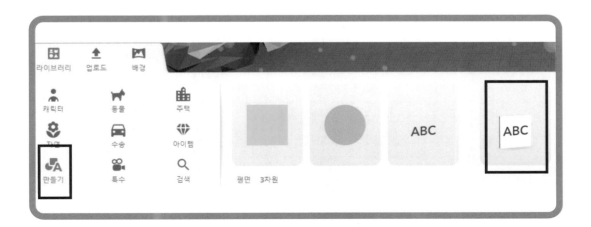

02 가져온 평면의 너비와 폭을 화살표를 이용하여 조절합니다.

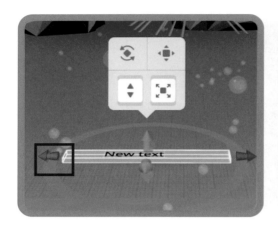 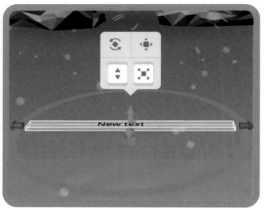

03 마우스 우클릭 후 속성 창의 오브젝트 이름을 '출발선'으로 바꾸고 텍스트를 클릭하여 '출발선'으로 입력합니다.

04 마우스 우클릭 후 속성 창의 재질에서 색상을 변경합니다. 이와 같은 방법으로 결승선도 만들어 봅시다.

 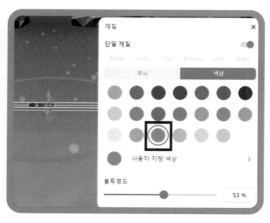

바다 생물 오브젝트 가져오기

레이싱을 할 바다 생물들을 데리고 와서 크기와 방향을 조절하여 출발선에
배치하고 오브젝트 이름을 변경합시다.

01 라이브러리 메뉴에서 펭귄을 드래그&드랍으로 장면에 가져옵니다.

02 크기조절 버튼을 클릭 한 상태로 드래그해서 펭귄의 크기를 조절합니다.

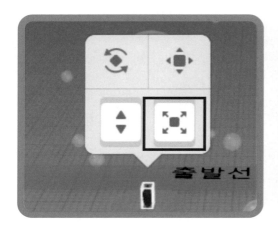
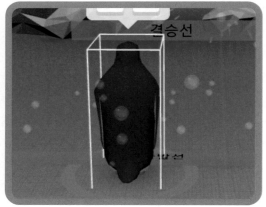

03 오브젝트 선택 후 우클릭하여 오브젝트 이름을 '펭귄'으로 변경합니다. 다른 바다생물 3마리도 이와 같이 변경합니다.

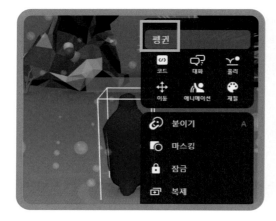

04 오브젝트 선택 후 우클릭하여 '코블록스에서 사용'에 체크합니다. '코블록스에서 사용'에 체크하여야 코딩할 수 있습니다. 바다생물 4마리를 모두 체크해줍니다.

출발버튼 만들기

레이싱 시작을 알리는 출발버튼을 만들어 봅시다.

01 라이브러리 메뉴에서 만들기 3차원 원기둥을 드래그&드랍하여 장면으로 가져옵니다.

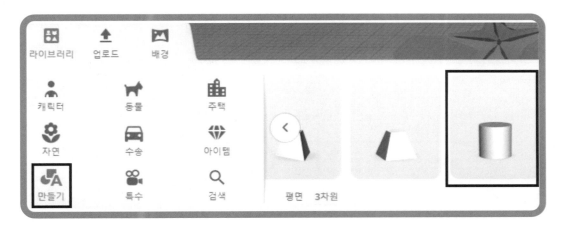

02 오브젝트 선택 후 우클릭하여 재질을 변경합니다. 그 후 원기둥 윗면에 자석기능을 활용하여 라이브러리에서 만들기의 반구를 가져와 붙입니다.

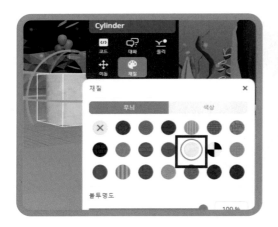 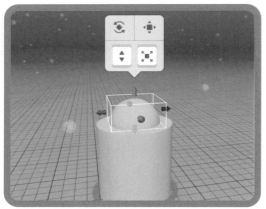

03 반구 오브젝트 선택 후 우클릭하여 오브젝트 이름을 '출발버튼'으로 변경한 후 재질을 변경합니다.

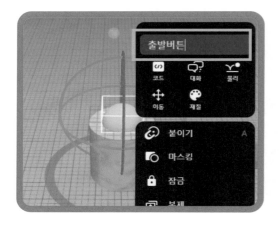 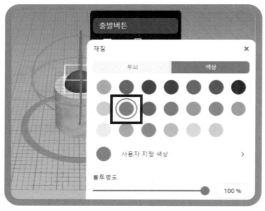

04 라이브러리 만들기에서 3차원 텍스트를 드래그&드랍으로 가져옵니다. 마우스 우클릭 후 속성창 텍스트를 클릭하여 '출발버튼'으로 변경합니다.

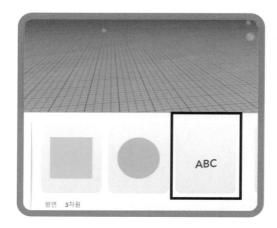 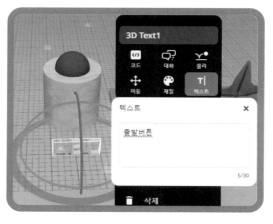

05 출발버튼 텍스트의 재질을 변경하고 상하버튼을 이용하여 바닥에서 조금 띄웁니다.

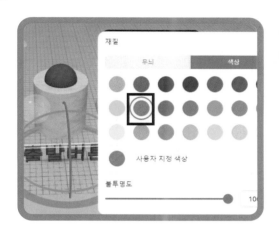 

06 반구 오브젝트 선택 후 우클릭하여 속성 창의 코드를 클릭하여 '코블록스에서 사용'을 체크합니다.

바닷속 레이싱 코딩하기

출발버튼을 클릭했을 때 각각 다른 빠르기로 움직이는 오브젝트를 만들어 레이싱을 해봅시다.

01 코딩을 하기 전 코딩에 사용되는 모든 오브젝트를 '코블록스에서 사용'에 체크가 되어 있어야 합니다. 이제 레이싱 코딩을 하기 위해 상단 메뉴 코드에서 코블록스를 선택합니다.

02 [형태]탭의 '정보창 보이기' 블록을 드래그하여 제목 '바닷속 레이싱 경주', 텍스트 '출발을 클릭하면 경주가 시작 됩니다.'를 입력합니다.

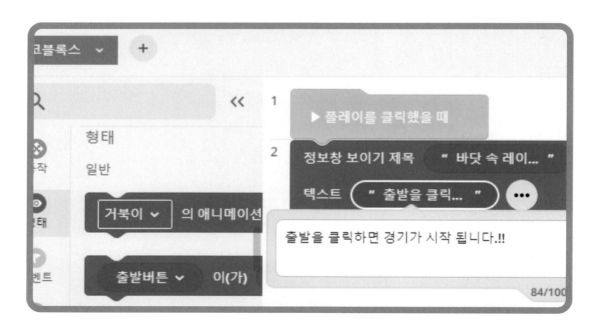

03 [이벤트]탭의 조건 블록인 '버튼을 클릭했을 때' 블록을 드래그하여 '출발버튼을 클릭했을 때'로 변경해줍니다. 출발버튼을 클릭하면 감싸고 있는 블록을 실행해 줍니다.

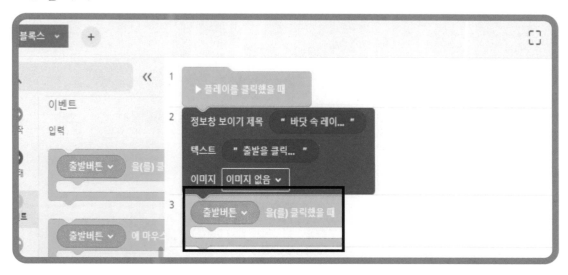

04 4마리의 바다 생물이 출발버튼을 클릭했을 때 동시에 실행될 수 있도록 [제어] 탭의 '동시에 실행하기' 블록과 '무한 반복하기' 블록을 드래그합니다.

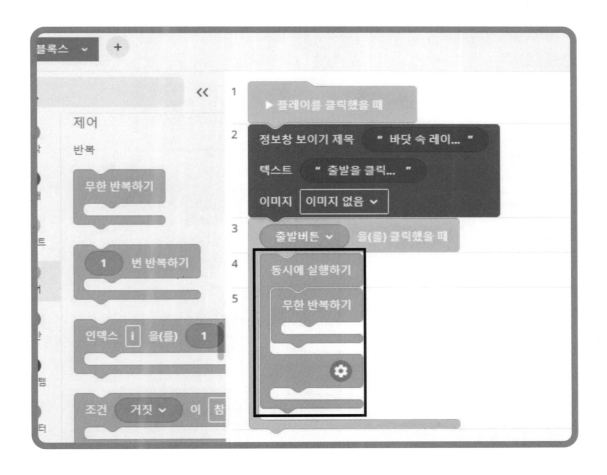

05 레이싱 할 때마다 다른 속도로 움직이는 거북이를 만들기 위해 [동작]탭에서 '1 초 동안 앞으로 1미터 이동하기' 블록을 드래그하고 [연산]탭에서 '0부터 1사이 의 랜덤한 정수' 블록을 '1부터 20사이의 랜덤한 정수'로 변경하여 동작 블록 안 에 끼워 넣습니다.

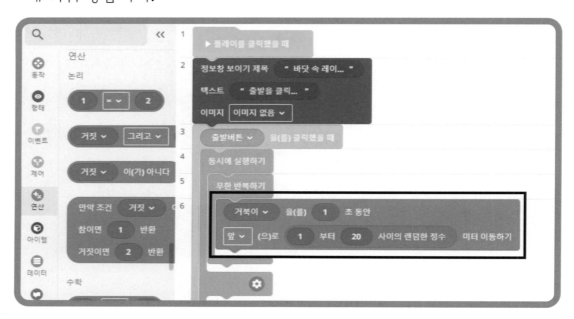

06 5번과 같은 방법으로 펭귄, 불가사리, 꽃게를 코딩합니다.

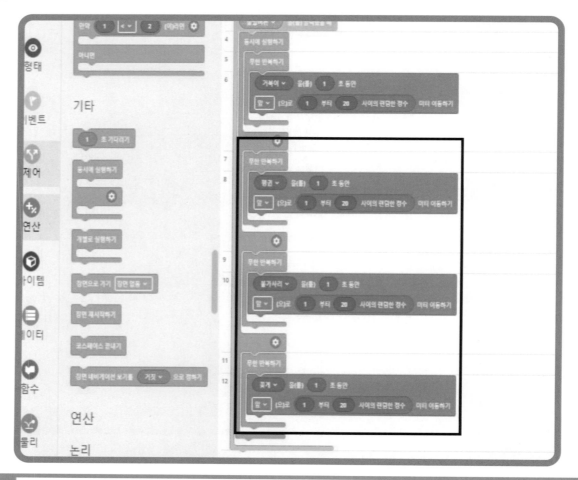

07 코블록스 창을 추가하여 이름을 거북이로 변경하고 [형태]탭에서 '폭죽의 불투명도를 0으로 정하기'를 가져오고 [이벤트]탭에서 '거북이가 결승선에 충돌할 때' 블록을 드래그 한 후 우승 메세지와 폭죽이 터지는 효과를 [형태]탭 블록을 드래그하여 코딩합니다. 마지막으로 [제어]탭에서 '코스페이시스 끝내기' 블록을 드래그하여 완성합니다.

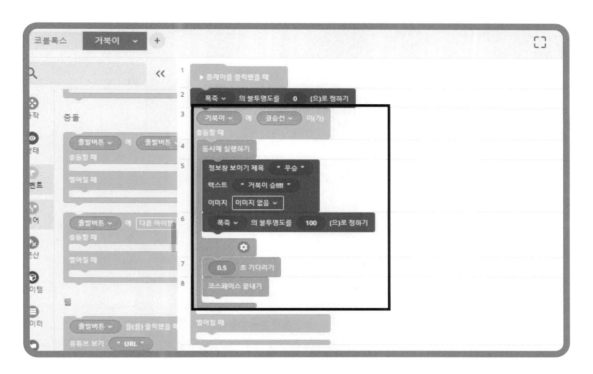

08 코블록스 창을 추가하여 이름을 펭귄으로 변경하고 거북이와 같은 코딩을 완성합니다.

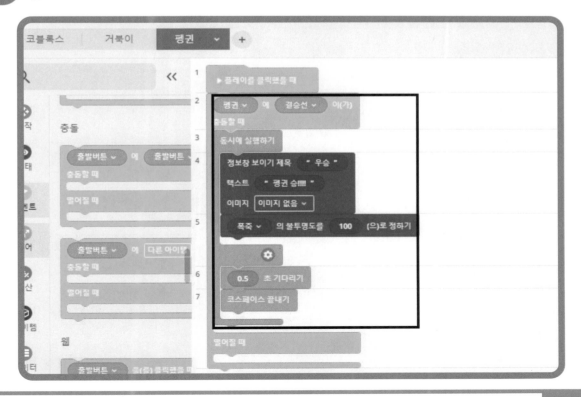

09 코블록스 창을 추가하여 이름을 불가사리로 변경하고 거북이와 같은 코딩을 완성 합니다.

10 코블록스 창을 추가하여 이름을 꽃게로 변경하고 거북이와 같은 코딩을 완성 합니다.

바닷속 레이싱 완성 코드

01 [코블록스]

바닷속 레이싱 완성 코드

02 [거북이] , [펭귄]

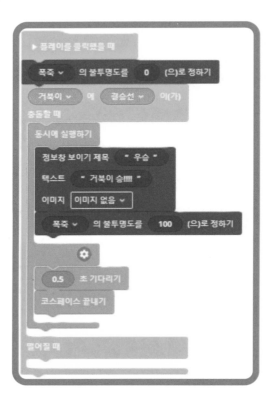
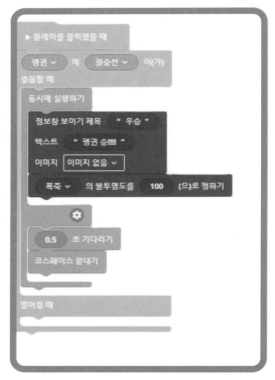

03 [불가사리], [꽃게]

5. 바닷속 레이싱

완성 작품 보기

상단 메뉴의 플레이를 클릭하면 '바닷속 레이싱 경주'라는 정보창이 나오고 출발버튼을 클릭하면 레이싱이 시작됩니다. 4마리의 바다 생물 중 한 마리가 도착하면 우승 메세지와 함께 폭죽이 터집니다. 어떤 바다 생물이 이길지 예상해보며 레이싱 경주를 해봅시다.

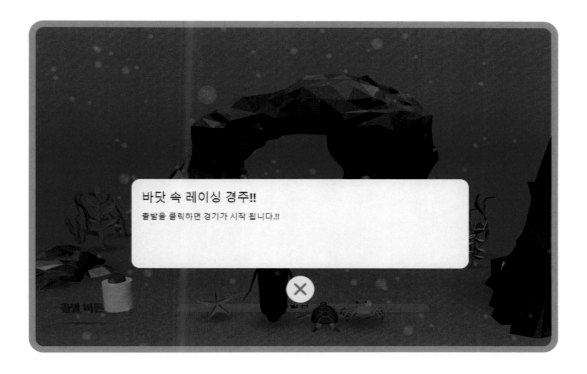

chapter 6

눈폭탄을 받아라!

학습 목표
- 물리 기능 사용하기
- 코블록스 변수 사용하기

무엇을 배울까요?

코스페이시스의 물리를 활용하여 재미있는 활동을 해 봅시다.
코블록스의 변수를 알아보고 변수를 활용하여 다양한 방향으로 쏘는
눈대포를 만들어 봅시다.

배경 만들기

배경에서 눈 덮인 숲 속 배경을 가져옵니다.

01 배경 메뉴에서 수정 버튼 클릭 후 눈 덮인 숲 속 배경을 선택합니다.

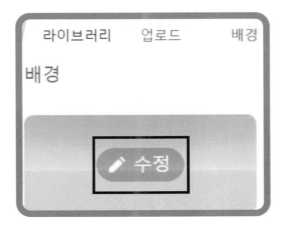

탑 만들기

눈폭탄에 맞을 진열탑을 만들고 아이템을 배치해 봅시다.

01 라이브러리의 주택에서 기둥을 드래그&드랍하여 4개의 기둥을 세웁니다.

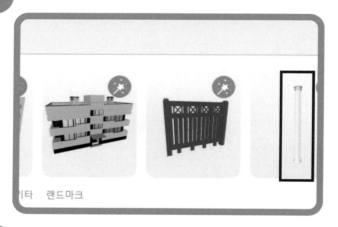

02 라이브러리 만들기에서 정육면체를 가져와 너비와 두께를 조절하고 바닥에서 띄워 기둥에 올려 놓습니다.

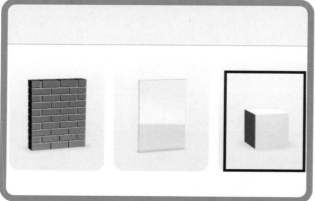

03 직육면체를 마우스 우클릭하여 재질을 원하는 색상으로 변경합니다. 그리고 키보드의 Shift키를 누른 상태로 4개의 기둥과 직육면체를 선택합니다.

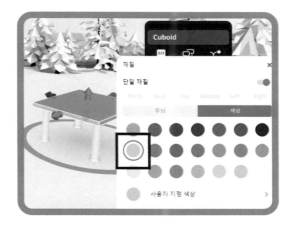 

04 키보드의 Alt키를 누른 상태로 상하버튼으로 드래그하며 복사하여 3단으로 탑을 만듭니다. 복사된 직육면체를 마우스 우클릭하여 재질을 원하는 색상으로 변경합니다.

05 라이브러리의 캐릭터와 아이템에서 원하는 아이템을 가져와 각 층에 진열합니다.

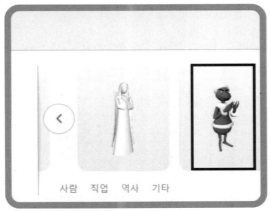 

눈대포 만들기

탑 위에 있는 아이템을 맞출 수 있는 눈대포를 만들어 봅시다.

01 라이브러리의 아이템에서 박스를 드래그&드랍으로 가져와 크기를 조절합니다.

6. 눈폭탄을 받아라!

02 라이브러리의 만들기에서 눈폭탄과 비슷한 구를 드래그&드랍으로 가져와 크기를 조절합니다. 그리고 바닥에서 상하조절 버튼을 사용하여 박스 위에 올려 놓습니다.

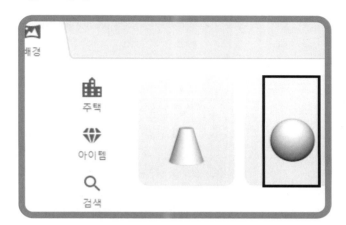 

03 라이브러리의 아이템에서 대포를 드래그&드랍으로 가져와 크기를 조절합니다. 그리고 회전 버튼을 클릭 후 빨간 선을 움직여서 방향을 11도 기울여 대포 위치와 발사 각도를 맞춥니다.

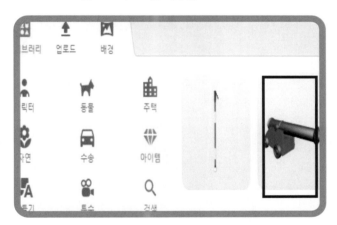 

물리 기능 활성화하기

코스페이시스에서는 물리 기능을 활성화 하지 않으면 중력이 작용하지 않습니다. 조금 더 실제적이고 재미있는 눈대포 게임을 만들기 위해 물리를 적용하여 봅시다.

01 박스 오브젝트를 클릭 한 후 우클릭하면 물리 버튼이 나옵니다. 물리 버튼을 누르면 물리가 비활성화 되어 있습니다. 물리 버튼이 비활성화 되어 있는 상태에서 플레이하면 눈폭탄이 아래로 떨어지는 것을 볼 수 있습니다.
※이해를 돕기 위해 눈폭탄은 물리가 활성화 되어 있습니다.

02 물리 기능을 활성화하면 눈폭탄이 떨어지지 않고 박스 위에 있습니다. 눈폭탄 위치에 따라 굴러 떨어질 수도 있으니 눈폭탄의 위치를 잘 조절해 주세요.

03 모든 오브젝트를 마우스 우클릭 후 물리를 선택하여 모두 활성화 합니다.
※ 물리를 활성화 하지 않으면 눈폭탄에 충돌했을 때 그대로 통과하게 됩니다.

04 눈폭탄 오브젝트를 마우스 우클릭 후 물리를 활성화하고 정밀한 충돌을 활성화합니다. 또한 탑을 무너뜨릴 수 있도록 질량을 50kg으로 변경합니다.
※ 정밀한 충돌은 물체의 세부적인 모양까지 고려한 충돌을 합니다. 정밀한 충돌이 필요 없을 시 비활성화해도 됩니다.

05 물리 기능을 살펴보면 고정 시키기는 오브젝트를 그 자리에 그대로 고정 시킬 수 있고 탄성과 마찰도 0~1 사이로 조절하여 재밌는 상황을 만들 수 있습니다.

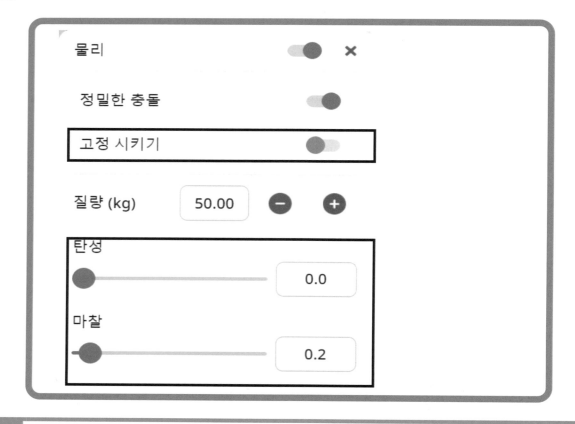

6. 눈폭탄을 받아라!

눈폭탄을 받아라! 코딩하기

눈대포를 클릭하면 눈폭탄이 발사되어 캐릭터들이 눈에 맞아 떨어지는 코딩을 구현해봅시다.

01 코딩을 하기 전 코딩에 사용되는 모든 오브젝트는 '코블록스에서 사용'에 체크가 되어 있어야 합니다. 이제 눈대포 코딩을 하기 위해 상단 메뉴 코드에서 코블록스를 선택합니다.

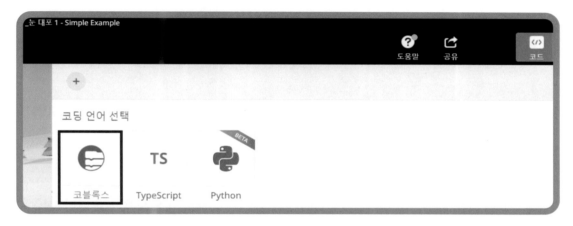

02 [형태]탭의 '말하기' 블록을 드래그하여 각 캐릭터마다 재미있는 말하기 내용을 입력합니다. 3개의 캐릭터가 말한 후 눈대포가 "눈대포를 클릭해줘 "라고 말할 수 있도록 말하기를 추가합니다. 코딩은 순서대로 실행되기 때문에 아래 순서대로 코딩합니다.

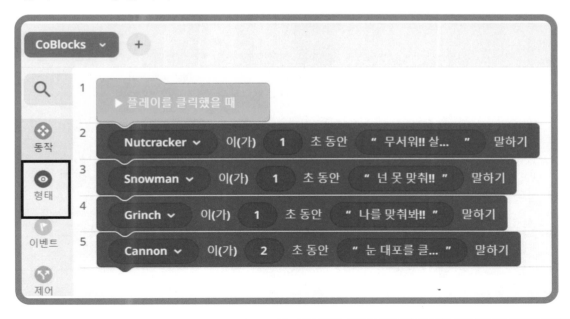

03 [이벤트]탭의 '캐논을 클릭했을 때' 블록을 드래그하여 조건문을 만듭니다. 조건이 만족하면 블록이 감싸고 있는 내용을 실행합니다.

04 [데이터]탭의 '변수를 ~으로 정하기' 블록을 가져와 변수의 이름을 '방향'으로 정하고 [연산]탭의 '0부터 100사이의 랜덤한 정수' 블록을 가져와 '1부터 3사이의 랜덤한 정수'로 변경하여 '~으로'에 끼워 넣습니다.

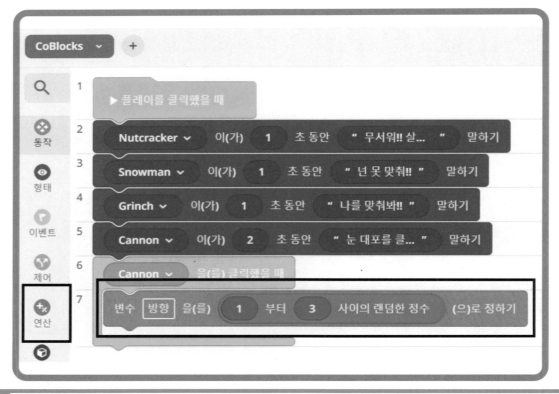

05 [제어]탭의 '만약~이라면' 블록을 가져오고 [데이터]탭의 변수 '방향'이 '1'이라면 조건을 입력한 후 조건을 만족하면 감싸고 있는 '눈폭탄을 20속도로 아이템 Snowman방향으로 밀기' 블록을 실행 시킬 수 있도록 코딩합니다.

06 5번과 같은 방법으로 조건문을 2개 더 가져와 눈폭탄의 '방향'이 '2'라면 'Grinch방향'으로 밀고 , '방향'이 '3'이라면 'Nutcracker방향'으로 밀수 있도록 코딩을 완성합니다.

6. 눈폭탄을 받아라!

눈폭탄을 받아라! 완성코드

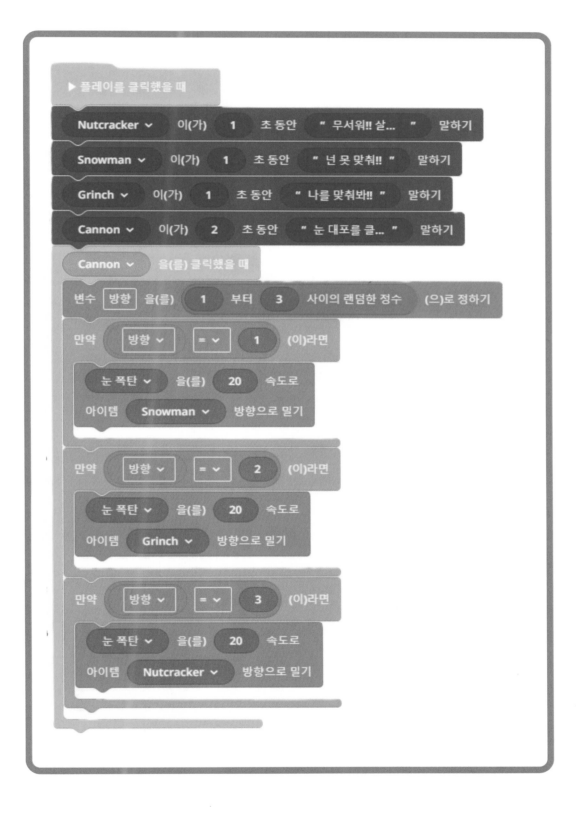

눈폭탄을 받아라! 완성코드

상단 메뉴의 플레이를 클릭하면 각각의 캐릭터가 말을 하고 눈대포가 "눈대포를 클릭해봐"라고 말합니다. 눈대포를 클릭하면 눈폭탄이 탑과 캐릭터를 무너뜨립니다. 눈대포를 클릭할 때마다 다른 방향으로 날아가는 눈폭탄으로 멋지게 캐릭터와 탑을 날려봅시다.

chapter 7

우주선 파쿠르

학습 목표
- 카메라 활용
- 점프맵 만들기

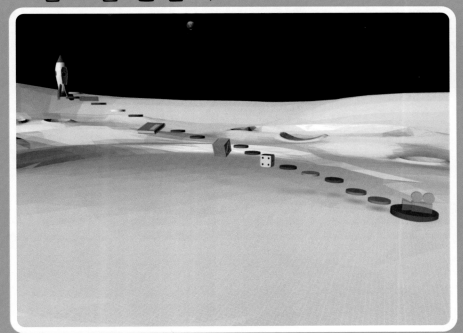

우주선 파쿠르

무엇을 배울까요?

카메라를 활용하여 이동해 봅시다.
스페이스바를 이용하여 점프해 봅시다.
장면을 추가하여 이동해 봅시다.

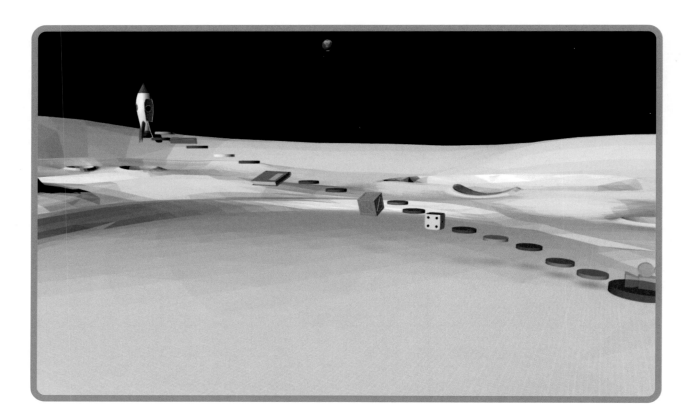

우주선 파쿠르 게임 코딩
1. 정보창 보이기 – 점프맵 게임 룰 설명
2. 충돌하면 재시작 – 발판에서 떨어지면 재시작하기
3. 도착지점에 도달하면 우주선이 닫히며 우주선 출발하기
4. 장면 변경

점프맵 만들기

01
먼저 새 장면을 만듭니다.
장면 선택에서 3D환경 첫 번째 Empty scene을 클릭합니다.

02
카메라를 앞쪽으로 이동해 줍니다. 점프맵에서 떨어지면 재시작 할 바닥을 먼
저 만듭니다. 라이브러리-만들기를 클릭하여 사각 평면을 화면에 드래그&드
랍합니다.

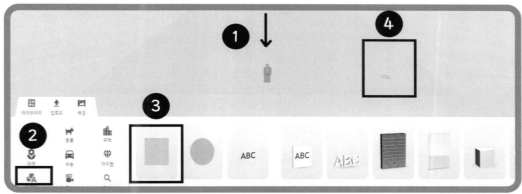

03
사각 평면을 가운데로 옮기고, 좌클릭하여 크기 조절 버튼을 드래그해서 크기
를 바닥 크기 만큼 넓게 해 줍니다.

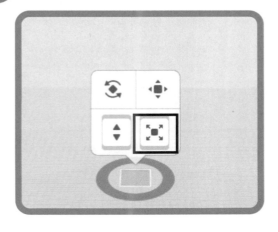
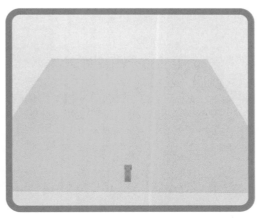

04 평면을 우클릭하여 속성에서 재질을 클릭합니다. 평면이 보이지 않도록 불투명도를 0%로 바꿔줍니다. 이름을 바닥으로 변경하고, 코딩할 수 있도록 코드를 코블록스에서 사용으로 변경합니다. 발판이 움직이지 않도록 잠금을 클릭합니다.

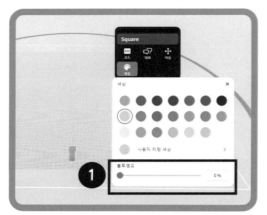 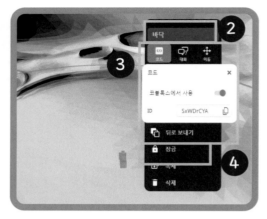

05 이제 하단 배경을 클릭하고 수정을 클릭하여 배경 중 **14**번째 행성을 배경으로 선택합니다.

06 이제 도착지점인 우주선을 만듭니다. 라이브러리-수송에서 우주선을 바닥 중간에 드래그&드랍합니다.

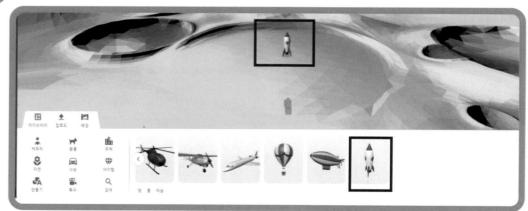

07 Rocket의 이름을 로켓으로 변경하고, 탑승을 위해 애니메이션을 Open으로 변경합니다. 코딩을 할 수 있도록 로켓을 코블록스에서 사용 설정합니다.

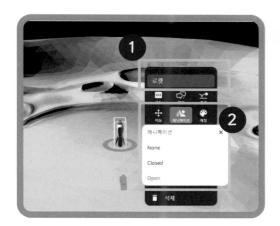
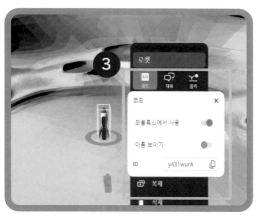

08 로켓을 좌클릭하고 드래그해서 올리기를 선택하여 점프맵 성공지점으로 로켓을 이동시킵니다.

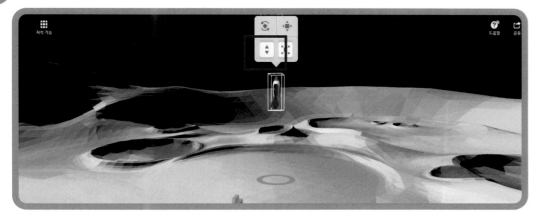

09 점프 할 발판을 만듭니다. 라이브러리-만들기에서 Cylinder를 카메라 근처에 드래그&드랍합니다.

10 Cylinder를 좌클릭하여 이동 모드를 굵은 화살표로 바꿔 두께를 변경해 줍니다. 이때 다른 조작 메뉴는 비활성화 되어 있어야 합니다. 속성 첫 번째 이름을 발판으로 변경하고, 재질을 클릭하여 원하는 색상으로 바꿉니다.

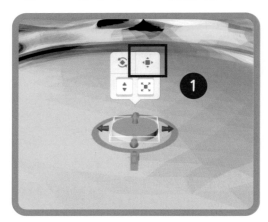 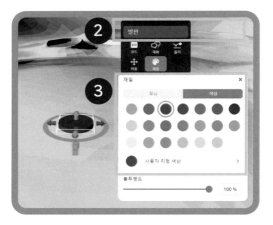

11 첫 발판은 카메라 아래 넓게 넣어줍니다. 발판을 Alt키를 누르며 마우스를 이동하여 복제하여 줍니다. 우주선까지 발판들을 여러 개 복제하여 맵을 만듭니다.

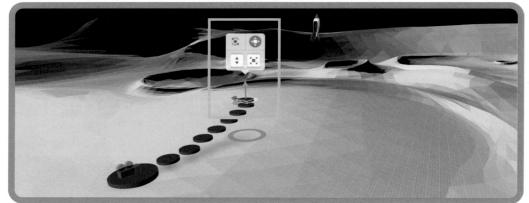

12 자신만의 점프맵을 꾸며봅니다. 경로에 커브를 주거나 크기를 변경해 보세요. 재질에서 무늬나 색상을 변경하거나, 라이브러리에서 재미있는 아이템을 넣어봅니다.

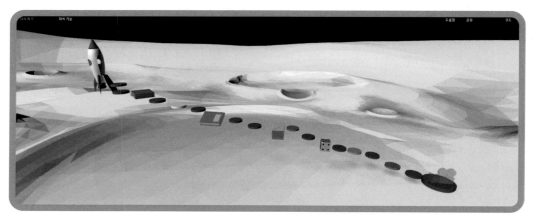

13 성공 시 도착 발판을 만듭니다. 도착지점으로 이름을 변경합니다. 코블록스에서 사용을 활성화 해주고, 로켓 내부 바닥에 하늘색 점에 붙여줍니다.

14 성공 시 장면 변경을 하기 위해 새 장면을 추가합니다. 장면 아이콘을 클릭하고, 하단에 새 장면 버튼을 클릭하여, Empty scene을 추가합니다.

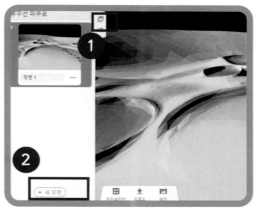
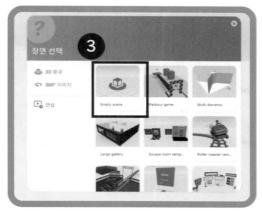

15 성공을 축하하는 장면 2를 꾸며줍니다.
배경, 캐릭터, 동물, 아이템 등을 추가하여 표현해 봅니다.

점프맵 코딩하기

01 코딩을 위해 장면아이콘-장면1을 클릭합니다. 상단 우측에 코드를 클릭하고 블록 코딩을 위한 코블록스를 클릭합니다.

02 게임이 시작되면 룰을 설명하는 정보창을 코딩합니다.
형태 클릭-정보창 보이기를 꺼냅니다. 제목은 '시작', 텍스트에는 시작 문구를 입력합니다.

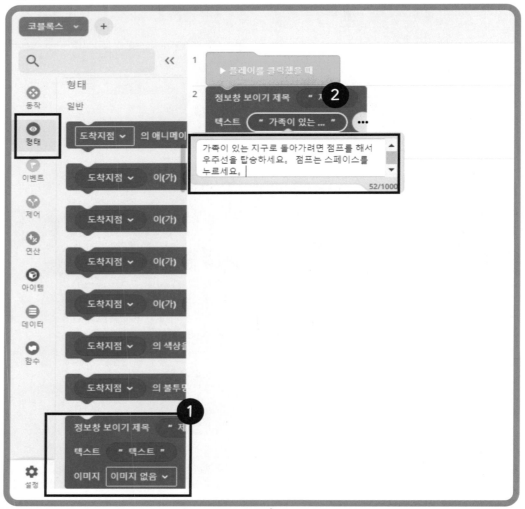

03 점프에 실패 했을 때, 실패를 알리고 게임을 재시작하는 코딩을 합니다.
①이벤트 클릭-충돌 블록 드래그&드랍, '바닥'에 'Camera가 충돌할 때'로 바꾸고,
　이후 블록들을 충돌할 때 블록아래 넣습니다.
②형태 클릭-일반 블록 '정보창 보이기' 드래그&드랍 후 실패 메시지를 입력합니다.
　제목 : '실패'　　텍스트 : '다시 도전해보세요.'
③제어 클릭-기타 블록 '장면 재시작하기'를 넣어줍니다.

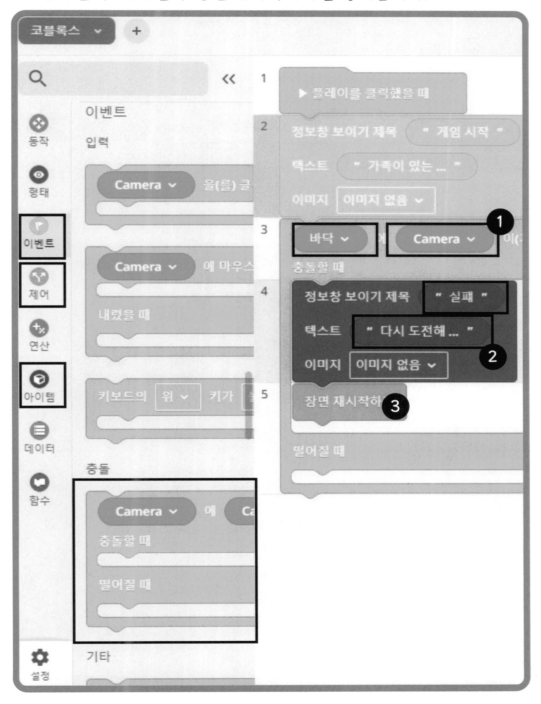

04 점프에 성공 했을 때, 성공 메시지와 우주선 문을 닫는 코딩을 합니다.
①이벤트 클릭-충돌 블록 드래그&드랍, '도착지점'에 'Camera가 충돌할 때'로 바꾸고, 이후 블록들을 충돌할 때 블록 아래 넣습니다.
②제어 클릭-기타 블록 '1초 기다리기' 드래그&드랍합니다.
③형태 클릭-일반 블록 '정보창 보이기' 드래그&드랍 후 성공 메시지를 입력합니다.
　제목 : '성공'　　텍스트 : '우주선이 출발합니다.'
④형태 클릭-일반 블록 첫번째 '애니메이션을 정하기' 블록을 드래그&드랍합니다.　'로켓'의 애니메이션을 'Closed'로 정합니다.

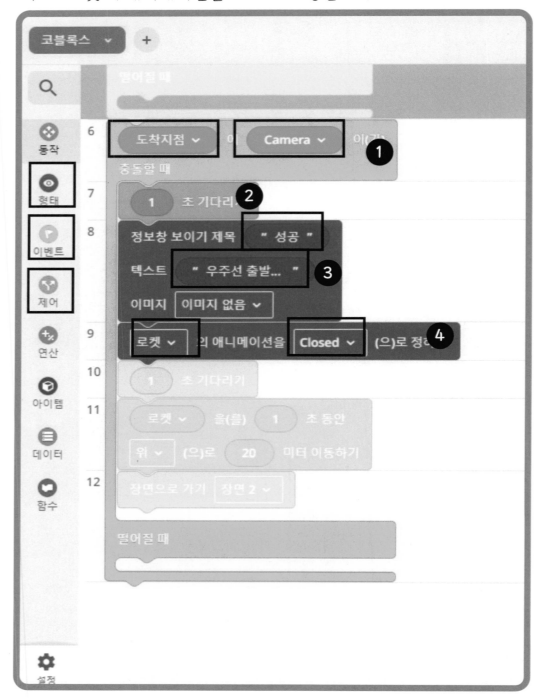

05 이제 우주선 문을 닫은 후, 우주선이 출발하고 장면이 바뀌는 코딩을 합니다. 충돌할 때 부분에 이어서 블록을 넣습니다.

①제어 클릭-기타 블록 '1초 기다리기' 드래그&드랍합니다.

②형태 클릭-이동 블록 첫 번째 '이동하기' 블록을 드래그&드랍합니다. '로켓' 을 '1초'동안 '위'로 '20미터이동하기'를 입력합니다.

③제어 클릭-기타 블록 '장면으로 가기' 드래그&드랍, '장면2'를 선택합니다.

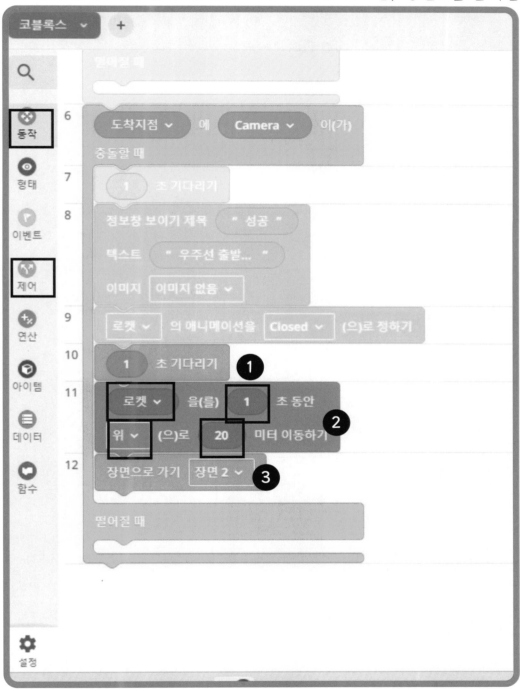

우주선 파쿠르 완성 코드

완성 작품 보기

우주선 파쿠르가 완성되었습니다. 플레이 버튼을 클릭하여 게임을 즐겨보세요.
코딩이 잘 구현되는지도 확인해 봅니다.

chapter 8

생일 축하해

학습 목표
- 머지큐브 알아보기
- 머지큐브 활용한 팝업카드 만들기

chapter 8

생일 축하해

무엇을 배울까요?

머지큐브에 대해 알아봅니다.
웹 검색으로 이미지를 찾아보고 머지큐브를 꾸며봅니다.
음악파일을 업로드하고 적용해 봅니다.
코블록스로 생일축하 팝업카드를 코딩하고, 함수를 사용합니다.

머지큐브

01 머지큐브(Merge cube)는 Merge EDU에서 개발한 AR/VR 전용 컨트롤러로 다양한 교육용 컨텐츠들이 개발되어 활용되고 있습니다. 머지큐브는 컴퓨터가 인식할 수 있는 디지털표식인 '마커가 6개의 면에 새겨져 있는 정육면체' 교구입니다.

코스페이시스 앱을 실행시키고 휴대폰 앞에서 마크를 인식시키면 작품이 머지큐브 위에 증강현실(AR)로 나타나게 되는 원리입니다.

CoSpaces Edu

코스페이시스에서 만들고 머지큐브로 증강현실을 보기 위해서는 3가지 준비물이 필요합니다.

① 코스페이시스 앱 : Cospaces Edu (휴대폰이나 태블릿에 설치)

② 머지큐브 도형 : 머지큐브 도형을 구매하거나 도안을 출력해서 만들 수 있습니다.

③ 스마트폰이나 태블릿

머지큐브 빈 화면 열기

01 [코스페이스 만들기]-[장면 선택]-[머지큐브]-[Empty scene]를 선택합니다.

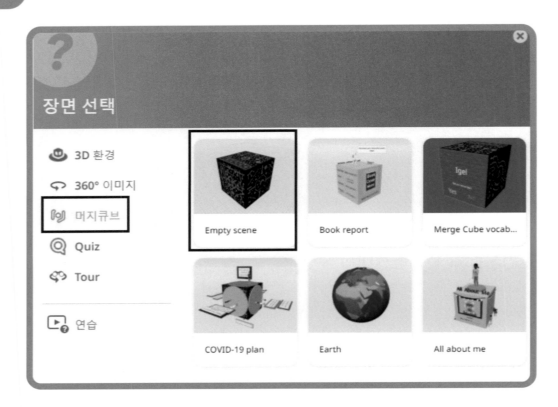

02 화면에 머지큐브가 보여집니다.

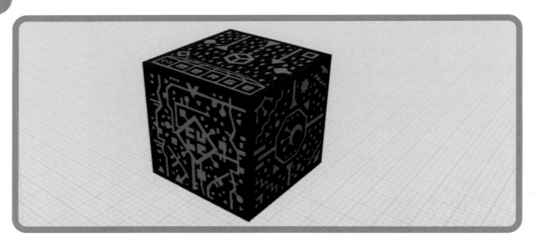

머지큐브 안쪽 꾸미기

01

<속성-사이드 라벨 보이기>
머지큐브에서 [마우스 더블클릭]-[검은 메뉴창]-[사이드 라벨 보이기]를 선택
합니다. 위, 아래, 앞, 뒤, 왼쪽, 오른쪽이 보여집니다.
라벨 보이기를 해제하려면 [마우스 더블클릭]-[검은 메뉴창]-[사이드 라벨 숨
기기] 를 선택합니다.

02

머지큐브에서 [마우스 더블클릭]-[검은 메뉴창]-[재질]을 선택합니다.
[무늬] 탭에서 원하는 무늬를 선택합니다.
[색상] 탭에서 원하는 색으로 변경합니다.

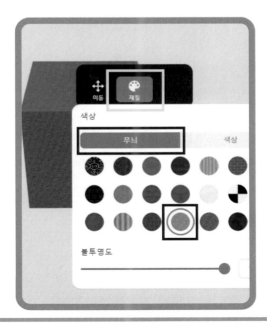
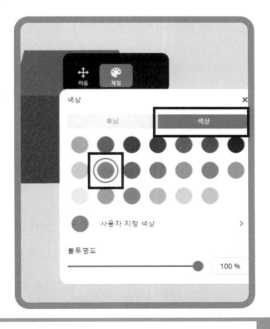

03 코스페이시스 하단에 [업로드]-[이미지]-[웹검색]에서 원하는 이미지를 검색하여 안쪽을 꾸며봅니다. 이 사진들은 검색엔진 Bing(빙)에서 제공하는 이미지들입니다.

04 [웹 검색]에서 검색어로 [생일]을 입력합니다. [이미지]를 클릭하면 세 가지 메뉴가나옵니다. 이미지, GIF, GIF스티커에서 원하는 이미지를 찾아서 가져옵니다.

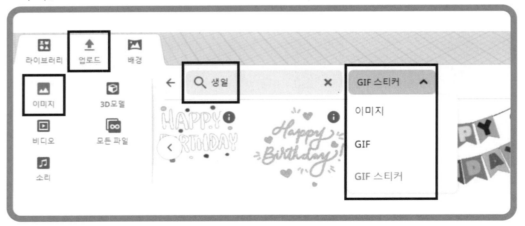

05 이미지를 가져온 후 안쪽 벽에 붙이기 합니다. 벽에 붙어 있으면 바깥에서 보이므로 이미지를 안쪽 벽에서 살짝 띄어줍니다. 이미지가 바깥쪽에서 보이지 않도록 잘 조절해줍니다. 팝업카드로 쓸 이미지는 큐브 아래쪽에 세워주고 안쪽 벽은 오른쪽, 뒷면 두 면에만 이미지를 넣어 꾸며줍니다.

06 [폭죽을 들고 있는 새] 이미지는 [이미지 더블클릭]-[코드]-[코블록스에서 사용] 활성화합니다. 이름은 pg로 변경합니다.

07 큐브에서 [마우스 더블클릭]-[바깥쪽 보기]를 선택합니다.

머지큐브 바깥 꾸미기

01 큐브 앞면에 버튼을 만들어 봅니다.
코스페이시스 하단에 [라이브러리]-[만들기]-[3차원]에서 원기둥을 가져옵니다.

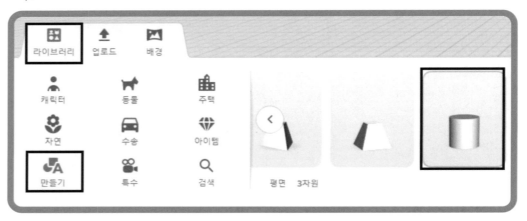

02 원기둥에 사이즈 조절하는 화살표가 보이지 않으면, 조작 메뉴의 버튼을 비활성화 합니다. 활성화되어 있는 버튼을 한번 더 누르면 비활성화 됩니다.

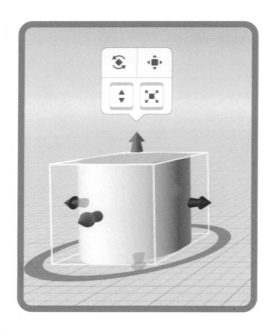
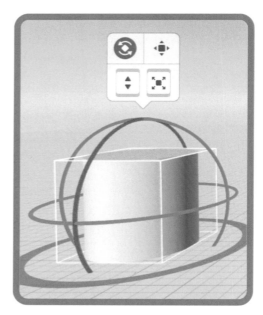

03 원기둥를 적당한 크기로 조절하고 [마우스 더블클릭]-[검은 메뉴창]에서 이름을 [on-button]으로 변경합니다. [코드]에서 [코블록스에서 사용]을 활성화 합니다.
on-button를 [Alt + 마우스 클릭] 드래그&드랍해서 복사합니다.
이름을 [off-button]으로 변경합니다. 복사하면 속성도 같이 복사가 됩니다.

04 버튼 위에 이름을 넣어줍니다.
[라이브러리]-[만들기]-[배경이 없는 글자]를 선택합니다.

05 [텍스트]에서 글자를 ON으로 변경하고 글자 크기도 조절합니다.
[코드]에서 [코블록스에서 사용]을 활성화 합니다. 이름은 T_on으로 변경합니다. 복사해서 글자를 OPEN으로 변경합니다. 이름은 T_open으로 변경합니다.
글자를 button 위에 붙이기 한 후 큐브 앞면에 붙이기 합니다.

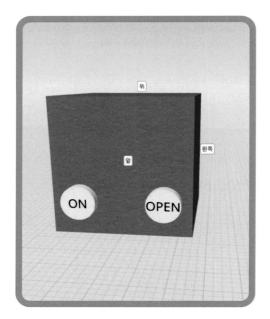

06 버튼과 같은 방식으로 회전판을 만들어서 큐브 위쪽에 붙이기 합니다.
[코드]에서 [코블록스에서 사용]을 활성화합니다.
이름은 [회전판]으로 변경합니다.

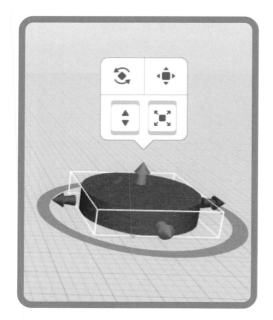

07 회전판 위를 자유롭게 꾸미기 합니다.
다 꾸민 후에 오르골의 유리구를 만들어 봅니다.
[라이브러리]-[만들기]-[구]를 가져와서 회전판 위에 붙이기 합니다.

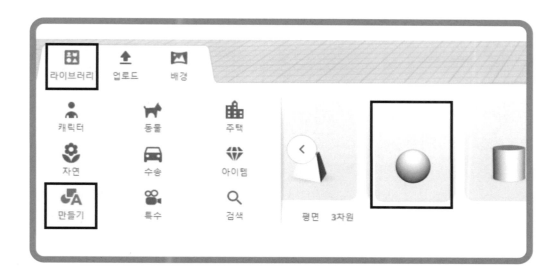

08 유리구의 색상을 선택하고 불투명도를 17%로 조절합니다.

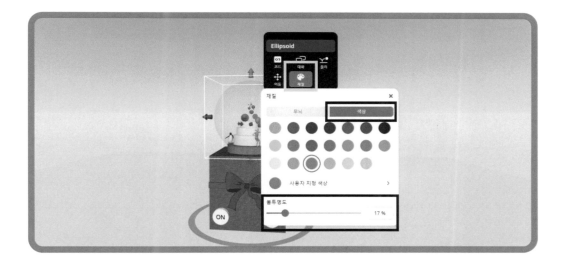

09 큐브 바깥쪽에 이미지를 넣어줍니다. 한 이미지로 4면을 넣어줘도 되고, 각 면마다 다른 이미지를 넣어줘도 상관 없습니다.
[업로드]-[이미지]-[리본]-[GIF 스티커]에서 이미지를 가져와서 크기를 조절해 앞면에 붙이기 합니다.

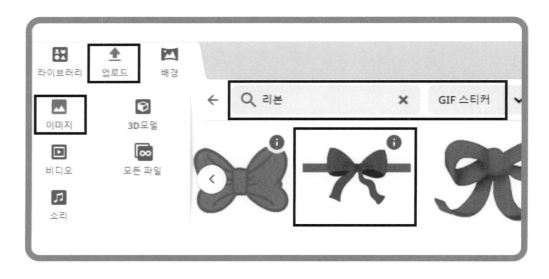

10 리본의 이름을 [앞_리본]으로 변경한 후 [코블록스에서 사용]을 활성화합니다. 복사해서 붙이고 이름을 [뒤_리본], [오_리본], [왼_리본]으로 변경합니다.

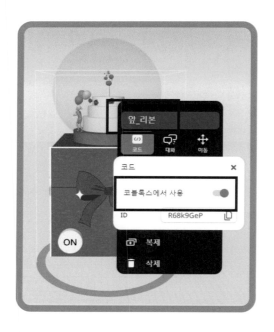 

음악파일 넣기

01 ON 버튼을 눌렀을 때 생일축하노래가 나올 수 있게 코딩하려면 음악파일이 필요합니다. 컴퓨터에 음악파일이 저장되어 있어야 하고, 지원하는 형식은 .mp3, .wav, .aac, .m4a입니다.
[업로드]-[소리]-[업로드]에서 생일축하노래 파일을 업로드 합니다.

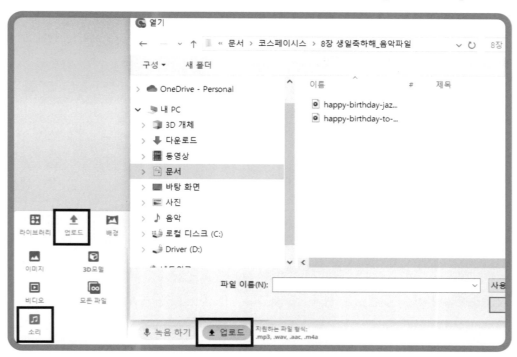

02 [업로드]-[소리]에서 업로드 한 음악파일을 확인할 수 있습니다.
[녹음하기]를 눌러서 직접 녹음하기도 가능합니다.

생일 축하해 코딩하기

01
[코드]-[코블록스]에서 코딩을 시작합니다.
먼저, [설정]-[고급자용 코블록스]로 선택하고 시작합니다.
코블록스 이름을 [회전판]으로 변경합니다.
회전판이 빙글빙글 돌아가도록 [동작]-[회전판을 5초 동안 시계방향으로 180도만큼 회전하기] 블록을 [플레이를 클릭했을 때] 블록 아래에 넣어 줍니다.
계속 빙글빙글 돌 수 있도록 [이벤트]-[무한 반복하기] 블록을 가져옵니다.

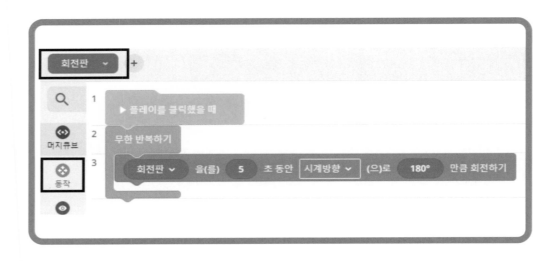

02
플레이 할 때, 바깥 큐브가 보여질 수 있도록 [머지큐브]-[큐브 안쪽 보기를 거짓으로 설정하기] 합니다.

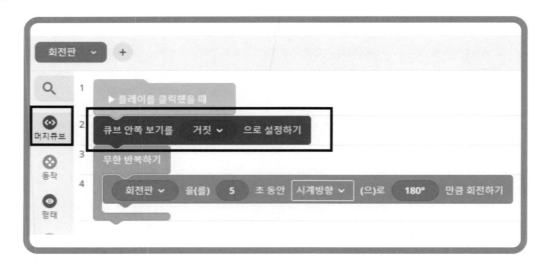

03 코블록스를 추가하여 [ON버튼]으로 변경합니다.
ON버튼를 누르면 생일축하 노래가 나올 수 있도록 코딩합니다.
[이벤트]-[~을 클릭했을 때] 블록을 [플레이를 클릭했을 때] 블록 아래로 가져
옵니다. [on_button를 클릭했을 때]로 변경합니다.

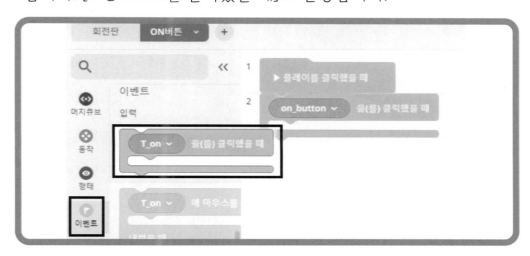

04 ON버튼을 누르면 생일축하노래가 나올 수 있도록 코딩합니다.
[형태]-[소리 재생하기] 블록을 [on_button을 클릭했을 때] 블록 안으로 가져
옵니다. [소리없음]을 업로드한 음악파일로 변경합니다.

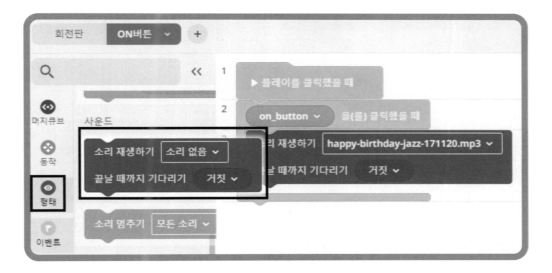

05 코블록스를 하나 더 추가하여 [OPEN버튼]으로 이름을 변경합니다. [이벤트]-[~을 클릭했을 때] 블록을 [플레이를 클릭했을 때] 블록 아래로 가져옵니다. [open_button을 클릭했을 때]로 변경합니다.

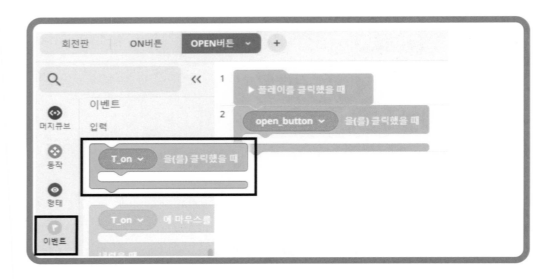

06 OPEN 버튼을 누르면 큐브 안쪽이 보일 수 있도록 [머지큐브]-[큐브 안쪽 보기를 참으로 설정하기] 합니다.

07 OPEN 버튼을 누르면 폭죽을 터트리는 새가 앞으로 나왔다가 제자리로 돌아가는 코딩을 합니다. [동작] 첫 번째 블록을 [큐브 안쪽 보기를 참으로 설정하기] 블록 아래로 가져옵니다. 두 번을 가져 와 다음과 같이 변경합니다.
　[pg를 0.5초 동안 아래로 5미터 이동하기]
　[pg를 0.5초 동안 위로 5미터 이동하기]
[제어]-[1초 기다리기] 블록을 폭죽을 터트리는 새가 위, 아래로 이동하기 전과 후블록에 넣어서 프로그램 실행을 조절합니다. 초 시간을 적절하게 변경합니다.

08 폭죽을 터트리는 새가 제자리로 돌아가면 큐브 바깥쪽이 보일 수 있도록 [머지큐브]-[큐브 안쪽 보기를 거짓으로 설정하기]를 합니다.

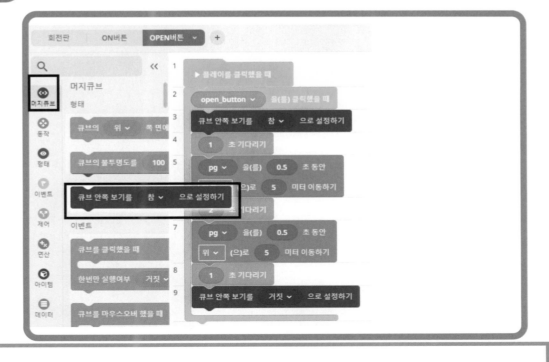

09 실행해 보면 폭죽을 터트리는 새가 나왔다가 들어가는데 큐브 바깥의 리본이나 버튼이 보여서 깔끔해 보이지 않습니다. 이 문제를 해결하기 위해 불투명도를 사용합니다. 큐브 안쪽이 보일 때 앞면의 두 개의 버튼과 두 개의 글자, 앞_리본, 오_리본, 왼_리본의 불투명도를 0으로 설정합니다.
[형태]-[~의 불투명도를 0으로 정하기] 블록을 가져와 변경합니다.

10 마지막으로, 큐브 안쪽 보기를 거짓으로 설정한 후에는 큐브 안쪽이 보이지 않도록 7개 오브젝트의 불투명도를 0 --> 100 으로 변경합니다.

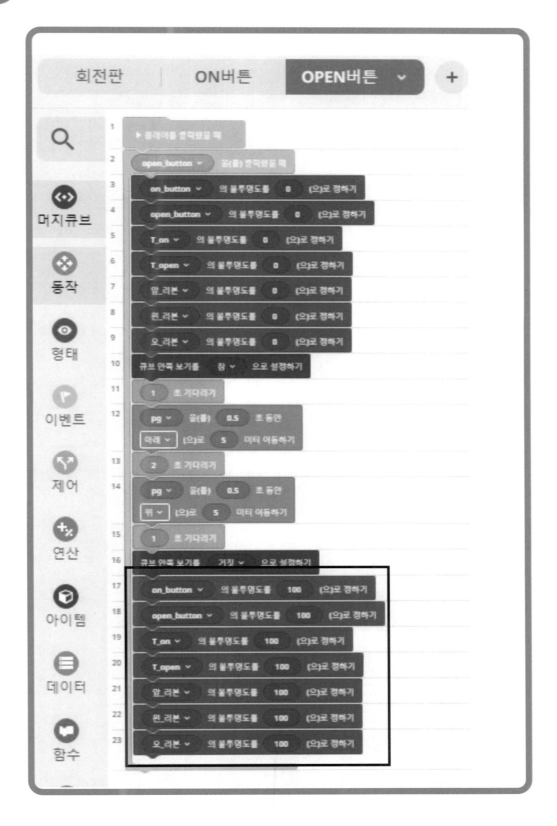

11 코드가 완성되었습니다.
이번에는 길고 반복되는 블록을 함수로 정의하여 코딩을 해 봅시다.
함수 정의는 [함수]-[함수 만들기] 합니다.
함수 이름은 [불투명도]로 변경하고 [매개변수 추가]을 선택합니다.
매개변수 : Input_1, 정수로 설정하고 함수 만들기 합니다.

12 불투명도의 숫자 0을 함수 매개변수인 [Input_1]으로 변경합니다.
7개의 블록 모두 변경합니다.

8. 생일 축하해

13 함수를 사용해서 코딩합니다.
① 불투명도 0 ② 불투명도 100

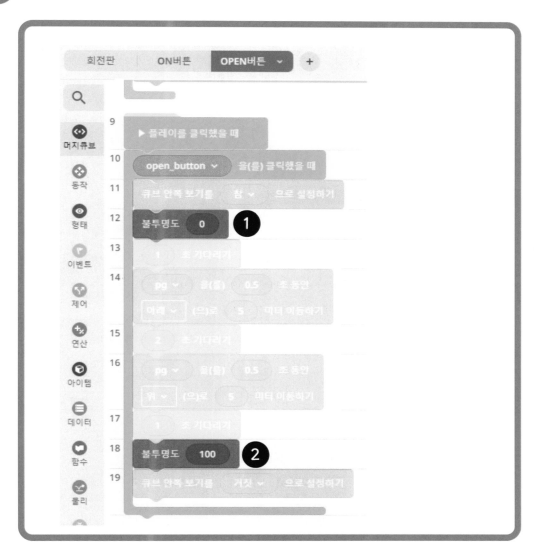

생일 축하해 완성코드

01 [회전판]

02 [ON 버튼]

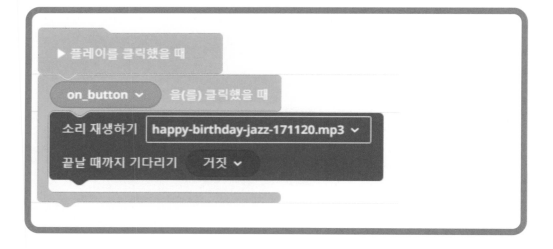

03 [OPEN 버튼]

머지큐브로 AR(증강현실) 체험

01 우리가 코스페이시스로 만든 작품을 머지큐브를 이용해서 AR체험을 합니다. 준비물은 코스페이시스로 만든 작품(생일 축하해), 스마트폰이나 태블릿, Cospaces EDU 앱, 머지큐브가 필요합니다.
스마트폰의 [Play store]에서 [Cospaces EDU앱]을 설치한 후 로그인을 합니다.

02 [코스페이시스]-[생일축하해]를 선택한 후, [플레이] 합니다.
머지큐브를 스마트폰 앞에 두고, AR체험을 합니다.

완성 작품 보기

생일 축하해가 완성되었습니다. 플레이 버튼을 클릭하여 회전판이 잘 돌아가는지 확인하고, ON 버튼을 클릭했을 때 생일 축하 노래가 들리는지 확인합니다.
OPEN 버튼을 클릭했을 때 폭죽을 터트리는 새가 앞으로 왔다가 제자리로 잘 들어가는지 확인하고, 바깥 큐브에 꾸민 오브젝트가 보이지 않는지도 확인합니다.

코스페이시스로
떠나는 메타버스 여행

기초부터 탄탄하게 코스페이시스로 떠나는 메타버스 여행

발 행 | 2024년 6월 11일
저 자 | 김승연, 신정현, 양현주 공동저자
펴낸이 | 한건희
펴낸곳 | 주식회사 부크크
출판사등록 | 2014.07.15.(제2014-16호)
주 소 | 서울특별시 금천구 가산디지털1로 119 SK트윈타워 A동 305호
전 화 | 1670-8316
이메일 | info@bookk.co.kr

ISBN | 979-11-410-8904-7

www.bookk.co.kr